MEUSER*EKTEN*

MEUSER*EKTEN*

MEUSER ARCHITEKTEN *BAUTEN UND PROJEKTE 1995 – 2010 / BUILDINGS AND PROJECTS 1995 – 2010*
DIPLOMATIC MISSIONS

Der Bauende soll nicht herumtasten und versuchen.
Was stehenbleiben soll, muss recht stehen und wo nicht
für die Ewigkeit doch für geraume Zeit genügen. Man mag
doch immer Fehler begehen, bauen darf man keine.

*An architect must not feel his way or go by trial. Things
that are meant to stand must stand well, and even if not
meant for eternity they must stand for a good, long while.
You may make mistakes, but you must not build any.*

Johann Wolfgang von Goethe

–

Für das Urteil sind viele ausgebildet,
für das Machen nur Wenige. Deshalb muss die
Meisterschaft geachtet werden.

*Many are made to criticize and few to make things. That is
why true mastery deserves respect.*

Karl Friedrich Schinkel

–

Die apodiktische Feststellung, Glas sei demokratisch,
Naturstein sei faschistisch, ist unsinnig.

*The apodictic claim that glass is democratic and stone is
fascist is nonsense.*

Hans Hollein

Embassies

Bauen und Schützen
Building to Protect
Essay — 10

Deutsche Botschaft
German Embassy
New Delhi/Indien — 28

Deutsche Botschaft
German Embassy
Sarajewo/Bosnien und Herzegowina — 48

Deutsches Generalkonsulat
German Consulate General
Kaliningrad/Russische Föderation — 56

Deutsches Generalkonsulat
German Consulate General
Jekaterinburg/Russische Föderation — 64

Residences

Die Residenz des Botschafters
Privacy and Diplomacy
Essay — 74

Ägyptische Residenz
Egypt Ambassador's Residence
Berlin — 94

Schweizerische Residenz
Swiss Ambassador' Residence
Astana/Kasachstan — 104

Kasachstan	**Botschaften in Kasachstan** *Embassies in Kazakhstan* Interview	112
	Deutsche Botschaft *German Embassy* Astana/Kasachstan	126
	Französische Botschaft *French Embassy* Astana/Kasachstan	134
	Britische Botschaft und British Council *British Embassy and British Council* Astana/Kasachstan	138
	Schweizerische Botschaft *Swiss Embassy* Astana/Kasachstan	142
	Kanadische Botschaft *Canadian Embassy* Astana/Kasachstan	146
Annex	Natascha Meuser Curriculum	162
	Philipp Meuser Curriculum	164
	Veröffentlichungen Publications	166
	Projektverzeichnis Chronology	170
	Mitarbeiter seit 1995 Staff	174

Bauen und Schützen
Building to Protect

Philipp Meuser

Scharfschützen auf dem Dach des Auswärtigen Amts in Berlin, 2008

Sharpshooters on the roof of the Foreign Ministry in Berlin, 2008

Wir alle schützen uns – täglich. Das erste, was uns schützt, ist die eigene Haut. Das andere ist die Kleidung, die wir morgens anziehen, damit wir nicht frieren. Die Evolution, die uns die natürliche Ganzkörperbehaarung gekostet hat, macht dies nötig. Die Kleidung ist somit der erste Schutz, mit dem wir uns umgeben, der Sicherheit bietet vor äußeren Einflüssen. Kleidung ist aber mehr als nur Schutzanzug, sondern auch Schmuck. Funktional und schön, das waren auch die ersten Häuser, die der Mensch baute, als er aus den natürlichen Schutzzonen wie Höhlen und dergleichen heraustrat. Die ersten Bauten waren aus dem Stoff, den die Natur bot: Lehm, Äste, Schilf, Stroh, lose Steine. Als der Mensch begann, sich vom nomadischen Jäger und Sammler zum sesshaften Ackerbauern und Handwerker zu entwickeln und eine eigene Welt neben der unmittelbaren Natur zu schaffen, blieb er dieser immer in seinen Handlungen verhaftet. Der Hausbau des Menschen ist wie der Nestbau eines Vogels, der Höhlenbau eines Fuchses oder der Dammbau eines Bibers – griffige Beispiele für Bauten, die mehr sind als nur Schutz. Sie sind Konstruktionen einer sozialen Ordnung.

Mit dem Hausbau wird der Mensch zum Architekten. Was er dabei bildet, ist eine dritte Haut, die ein Terrain abgrenzt und zwischen Innen und Außen unterscheidet. Ganz gleich, aus welchem Stoff es geschaffen ist, stellt ein Gebäude einen Schutz dar, der allein schon durch die Besitzaneignung nötig wird. Die Architektur also schützt von sich aus und ist daher per se gebaute Prävention. Das trifft vor allem zu auf standorttypische Konstruktionen wie etwa Pfahlbauten oder auf die Nutzung geografischer Beschaffenheiten der Landschaft. Es sind taktische Überlegungen. Daraus haben sich im Laufe der Geschichte landestypische und regionale Bauweisen entwickelt. Viele davon sind aufgrund veränderter Schutzziele verschwunden. Aber ihr Lehrwert für die Gegenwart – soweit wissenschaftlich aufgearbeitet – ist unersetzlich.

We all protect ourselves on a daily basis. The first thing that protects us is our own skin. The second layer of protection is our clothing which we wear to keep us from freezing. Since evolution has cost us our natural full body hair coverage clothing has become vital. Clothing thus constitutes our first applied protective layer, providing security against adverse external influences. It is, however, more than just a protective layer. Clothing is also ornamentation. It can be both functional and beautiful, just like the first houses that man built when he emerged from the natural protective zones of the caves and similar early dwellings. These were structures built from the materials that nature offered: clay, twigs, reeds, straw and loose stones. When man began to transform himself from the nomadic hunter and gatherer into the sedentary farmer and craftsperson, and began building his own world parallel to the immediate natural world, he continued to be bound by the conditions of nature in all what he did. The design of human dwellings, just like that of a bird's nest or a beaver's dam, is related to more than just issues of protection. They are structures reflecting a certain social order.

The construction of dwellings transforms man into an architect. Architecture, in effect, creates a third skin, delimiting a specific terrain and distinguishing between the inside and the outside. Irrespective of the actual building materials used, a building represents a protective layer which ownership claims alone require. Architecture thus automatically embodies the notion of protection and is per se "prevention in built form". This especially applies to specific local structures and practices such as pile dwellings or making full use of the geographical features of a given landscape. These are tactical considerations which, during the course of history, have led to the development of traditional and regional building methods. Many of these have disappeared on account of changes in the objectives of protection goals. At any rate, their educational

Verkehrskontrollpunkt der *Vereinten Nationen* in Kroatien, 1995

United Nations checkpoint in Croatia, 1995

Die Schutzfunktion ist ein Wesensmerkmal der Architektur – allein schon deshalb, weil das Gegenteil davon, die Schutzlosigkeit, das Ausgeliefertsein gegenüber mannigfaltigen Gefahren durch äußere Einflüsse von wilden Tieren, Naturgewalten, Witterung und durch Bedrohungen von Feinden, ein Wesenmerkmal der Schöpfung ist. Dieser Wesenszug ist auch in der Zivilisationswildnis der Mega-Städte und der kaum aufzuhaltenden Verstädterung des Landes allgegenwärtig. Nur die Gefahren sind andere. Die größte Gefahr geht dabei vom Menschen selbst aus – direkt oder indirekt verursacht.

Theorie des Schützens

Aktionsprotestler, die medienwirksam Sicherheitsbereiche durchbrechen, und Terroristen, die als lebende Bombe ganze Straßenzüge verwüsten können, haben der menschlichen Gewalt eine weitere Ausdrucksform gegeben. Neu ist diese Gefahr durch Gewalt ebenso wenig wie es die Bedrohungen durch unsere Alltagsabläufe in Gestalt des Straßenverkehrs und des Lebens an sich sind. Sie haben mit der Entwicklung der Technik nur andere Formen angenommen. Naturgewalten wie etwa Erdbeben, Überschwemmungen und dergleichen sind dagegen uralte Erfahrungen. Allenthalben nehmen Letztere durch massive Eingriffe des Menschen in den Haushalt der Natur, wie massenhafte Rodungen und die Missachtung natürlicher

value is irreplaceable today, given a scientific approach. The protective function is a characteristic feature of architecture, as much as nature and its dangers, such as wild animals, the forces of nature, adverse weather conditions or the threat from enemies, is a fact of creation, turning man's initial defencelessness into a protective response. This feature is also omnipresent in the dense networks of today's fast urbanising civilisation, i. e. in the megacities of the world, and in the almost unstoppable suburbanisation of the countryside. It is only the expressive forms of the dangers that have changed, while it can also be said that the largest threat emanates from man himself, both directly and indirectly.

The Theory of Protection

Activists who penetrate designated safety areas under the watchful eyes of the media and terrorists who are able to devastate entire streets disguised as human bombs, have given human violence yet another form of expression. The danger that emanates from violence is not at all new, just as the dangers inherent in our daily lives, on account of road accidents, for example, are not new. They have only taken on new disguises with the progress of technology. Forces of nature, such as earthquakes, floods and the like are, on the other hand, age-old phenomena. In many places around the

Durch ein Erdbeben zerstörtes
Gebäude bei Chengdu/China,
2008

*Earthquake damage near
Chengdu/China, 2008*

Lebenszusammenhänge, zu. Es geht also weniger um den Schutz vor Gefahren, als vielmehr um den Schutz vor deren neuen Erscheinungsformen und ihrer Häufigkeit in der Abfolge, in der diese eintreten können.
Die Auswirkungen von Naturgewalten nehmen indes immer größere Ausmaße an. Aber das Grundanliegen des Schutzes (abgeleitet vom althochdeutschen Wortstamm *skutison* – »Aufschütten eines Erdwalls«) bleibt: Es geht übersetzt um die Urbedürfnisse des Bewahrens, Behütens und Beschützens – aber auch um Verteidigung. Das Bedürfnis nach Schutz kommt hingegen in historisch unterscheidbaren Formen zum Ausdruck. Bis in das frühe 19. Jahrhundert hinein war der Schutz zumindest einer Stadt eine Sache der Lebensgemeinschaft, also eine sichtbare, räumlich überschaubare soziale Angelegenheit; was sich in der Stadtmauer, in den Bastionen, die eine Stadt umgaben, für jeden von Weitem erkennbar darstellte. Die Entwicklungslinie lässt sich von diesem gemeinsamen Schutz einer Lebensgemeinschaft, vom Graben über den Palisadenzaun bis zur Bastion und zu modernen kollektiven Schutzwällen wie der als »antifaschistischer Schutzwall« bezeichneten Berliner Mauer und der mit Todesstreifen und Wachtürmen markierten innerkoreanischen Grenze nachzeichnen. Dagegen ist die Chinesische Mauer allenfalls noch ein Wunderwerk menschlicher Baukunst. In der technisch hochgerüsteten Zivilisation, in der Entfernungen auch für Bedrohungsszenarien

world, these kinds of occurrences are increasing due to massive human intervention in ecosystems, such as wide-spread clearing and the general contempt shown towards natural relationships among living beings. As such, the issue at hand here has less to do with protecting against new dangers and rather more with devising protection against new manifestations of known dangers, along with their frequency and sequencing of occurrence. The effects of forces of nature are, in the meanwhile, being increasingly felt as they are becoming more widespread. What remains is, however, the significant role protection ("Schutz" in German, a term derived from the Old High German root "skutison") plays: under discussion here are mankind's primal urges of conservation, preservation, protection, as well as defence. The desire for protection, however, finds expression in several historically distinguishable forms. Up until the early 19th century, the protection of a city, for example, was the concern of a particular community. It was a publicly visible, spatially bounded social affair which was reflected in the physicality of the city wall, of the bastions which surrounded a city and which could be seen from a great distance. This development of collective protection can be easily traced through the ages, starting from moats, picket fences and bastions and ending with modern collective protective walls such as the Berlin Wall, which had been named "antifascist bulwark", or the inner-Korean border with its death strips,

Nest einer Nachtigall
A nightingale's nest

ohne Bedeutung sind, sind Brandmauern längst zu Firewalls mutiert. Abgesehen von den äußeren Bedrohungen war von Anfang an der Schutz vor Gefahren, die aus einem Gebäude heraus selbst entstehen können, ein wesentlicher Aspekt. Was früher der Funkenflug der offenen Feuerstelle war, ist heute der Kurzschluss, der plötzlich einen Brand auslösen kann. In solchen Momenten wird das Haus (indogermanisch: *kuso* zu *keu* – »Schutz«; germanisch: *hûsa* – »das Bedeckende«; althochdeutsch: *hûs*; englisch *house* – »behüten«, »bedecken«, »umhüllen«), das Schutz bieten soll vor Bedrohung, selbst zur Gefahr. Um solche Gefahren zu verhindern, wurden Sicherheitsbestimmungen erlassen, deren Ursprünge sich urkundlich für die europäische Welt bis in die mittelalterlichen städtischen Bauordnungen zurückverfolgen lassen. Diese hatten sowohl die ästhetische Gestalt des Hauses als auch die Komposition der Stadt als Ganzes im Blick gehabt. Alles begann bei den Vorschriften für den Bau des Hauses. Angefangen von der einheitlichen Struktur über die Materialien, die ortsgebunden und bodenständig zu sein hatten, ging es bei der Sicherheit des Hauses auch um die des Gemeinwesens: Brandschutz, Verkehrssicherheit, öffentliche Hygiene. Nach verheerenden Bränden wurden in Europa ab dem 14. Jahrhundert Steingiebelbau und Ziegelbedachung vorgeschrieben und überhängende Erker und Lauben entweder in der Größe beschränkt oder gänzlich

barbed wire and watchtowers. Other measures such as the Great Wall of China are, at best, only examples of stunning historical achievements of human building activity. The technology-saturated civilisation of today for which distances don't any longer matter even in the event of tackling threat scenarios transforms, metaphorically speaking, fireproof walls into the ubiquitous "firewalls". Apart from considering external threats, the protection against dangers emanating from a building itself, has been a major issue to take into account right from the beginning. The fire hazard which flying sparks from an open fireplace represented in earlier times is today represented by the electric short circuit which can suddenly cause a fire. In such moments the house (Indo-European "kuso" to "keu"; Germanic "hûsa"; Old High German "hûs"; English "house", meaning "to protect, cover, enclose"), which is meant to offer protection against threats, itself becomes a danger. To avoid such dangers, safety regulations were adopted whose origins, at least in the European world, are documented to go back to the building laws of cities in the Middle Ages. These were concerned with the aesthetic form of buildings as well as with the composition of a city as a whole. All regulations began with those that considered the construction of a house or building. From a building's unified structure to its materials that were required to be local and rooted in the soil, the safety of a building was also a matter of communitarian

Zehn Grundsätze der Sicherheitsplanung[1]

- Frühzeitige Integration der Sicherheitsplanung
- Bestimmung der Schutz- und Verfügbarkeitsziele
- Prävention statt Schadensbekämpfung
- Ganzheitliches Denken und Planen
- Gleichwertigkeit des Schutzes
- Wirtschaftlichkeit der installierten Sicherheitselemente
- Verminderung der Außenbeziehungen eines Gebäudes
- Komplexität des Sicherheitskonzepts
- Praktikabilität und Akzeptanz durch die Nutzer
- Antizipation von zukünftigen Entwicklungen

Ten Principles of Safety Planning[1]

- *Early integration of safety planning*
- *Definition of goals regarding protection and availability*
- *Prevention is better than damage control*
- *Holistic thinking and planning*
- *Uniform protection*
- *Efficiency of installed safety elements*
- *Reduction of the external relations of a building*
- *Complex safety concept*
- *Practicability for and acceptance by the user*
- *Anticipation of future developments*

verboten. Die Bauvorschriften reichten schon früh bis in die Innenarchitektur hinein und bezogen sich vor allem auf die Feuergefahr als buchstäblich größten Gefahrenherd in den dicht bebauten und verwinkelten Städten des Mittelalters: Feuerstätten für Gewerbe und Handwerker etwa durften schon damals nur an eine mindestens 40 Zentimeter dicke Mauer gesetzt werden und mussten von den Wohnstätten getrennt sein.

Grundsätze der Sicherheitsplanung

Die mit der Zeit immer detaillierteren Vorschriften spiegeln sich bis heute in den Bauordnungen. Unabhängig davon gilt es, die spezifischen Sicherheitsanforderungen einer Bauaufgabe – sei es ein Bankgebäude oder eine Botschaft – in die Planung zu integrieren, ohne dabei die Intention der Geheimhaltung und des Schutzes durch eine zu offene Kommunikation zu gefährden. Beim Entwurf von schutzbedürftigen Gebäuden bieten die *Zehn Grundsätze der Sicherheitsplanung*[1] eine verlässliche Planungshilfe. Die Integration dieser Grundsätze in den Entwurfs- und Planungsprozess lässt sich von dem wohl berühmtesten Diktum der Architekturmoderne kaum trennen. Auch wenn das von dem Architekten Louis Henry Sullivan stammende Syntagma *form follows function* fast immer auf rein ästhetische Kategorien

concerns: fire protection, transport safety, and public hygiene. Following devastating fires, stone gables and tiled roofs became mandatory in Europe in the 14th century. Overhanging bays and pergolas were either limited in size or wholly banned. The building regulations, from a very early period on, went so far as to even take into account the interiors of a building, and particularly concerned themselves with the danger of fire as the single largest threat in the densely packed and labyrinthine cities of the Middle Ages. Already in those days, fireplaces for industrial and artisan use were required to be located next to a c. 40 cm thick masonry or stone wall and had to be separated from the living spaces.

Principles of Safety Planning

In time, regulations became increasingly detailed, a development that is reflected in today's building regulations. Irrespective of this, however, the main objective is to integrate specific safety requirements of a building assignment into the planning process, be it a bank building or an embassy, without compromising the required measure of secrecy while also avoiding all-too-open communication. For the design of buildings that are in need of protection the ten Principles of Safety Planning[1] *constitute a dependable planning aid. The integration of these*

Ausgebrannte Fahrzeuge nach einer
Demonstration in Athen, 2008

*Burnt-out vehicles following
a demonstration in Athens, 2008*

Zerstörte Gebäude und Fahrzeuge
in Kabul/Afghanistan, 2002

*Wrecked building and vehicles in
Kabul/Afghanistan, 2002*

bezogen wird – ohne Berücksichtigung von Schutz und Sicherheit als immanente funktionale Eigenschaften eines Gebäudes hat ein Architekt seine Aufgabe verfehlt, selbst wenn sein Werk noch so schön ist.
Denn idealerweise ist das miteinander verbunden, was die Moderne in ihrer späten Epoche vergessen hat: die Ästhetik eines Gegenstandes, hier die Kunst des Bauens, mit dem Zweck des Bauens. Es ist genau dies, was die Architektur als die am meisten zweckgebundene der bildenden Künste ausmacht.
Bezeichnenderweise war die funktional-ästhetische Bauweise Sullivans eine Reaktion auf einen verheerenden Stadtbrand in Chicago und suchte mit feuergeschützter Stahlskelettbauweise und Sicherheitsfahrstühlen ihren logischen Ansatz konsequent im Innenraum. In der Fassade spiegelte sich die Zweckbestimmung des Gebäudes und seiner Etagen, etwa in der Abfolge für ein Bürohaus: Läden als für die Allgemeinheit zugängliche Einrichtungen und die Erschließung der darauf folgenden Büroetagen im Erdgeschoss. In die oberste Etage setzte Sullivan die Haustechnik. Dadurch wurde vermieden, dass unverträgliche Nutzungen beieinander liegen. Mit seiner Chicagoer Schule hat Sullivan maßgeblich die Ästhetik und Ingenieurtechnik des modernen Bauens beeinflusst und eine gewisse Selbstverständlichkeit im Planen und Bauen geschaffen. Raumbeziehungen, organisatorische Aspekte

principles into the design and planning process can hardly be de-linked from modernism's arguably most famous dictum in architecture: form follows function. This syntagma, coined by the architect Louis Henry Sullivan, is almost always applied to purely aesthetic categories without taking into account safety issues as being an intrinsic part of the functional features of a building. In that case, architects can be considered to have failed in their assigned task, however beautiful their work may be. Ideally, form and function are interrelated, a realisation which was forgotten by the late modern period: the task of combining the aesthetics of an object, such as the art of building, with the purpose of building. This is precisely what distinguishes architecture, being the most purpose-bound of visual arts, from all the other arts. It is significant to note that Sullivan's functional style was a reaction to a devastating city fire in Chicago, leading to measures such as the adoption of fireproofed steel-frame structures and the introduction of safety elevators. The façade reflected the purpose of the building and the floors conformed to a typical office layout: the ground floor housed publicly accessible facilities such as shops as well as access routes to the office floors above. The uppermost floor was reserved for building services. This prevented the proximity of clashing functions. With his Chicago School, Sullivan significantly influenced the aesthetics

Bombenattentat auf den Ersten Konsul Frankreichs,
Napoleon Bonaparte, am 24. Dezember 1800,
Kupferstich, koloriert, um 1805

*Assassination attempt on Napoleon Bonaparte,
First Consul of France, on 24 December 1800,
hand-coloured copperplate engraving, c. 1805*

und funktionale Zusammenhänge vom Inneren des Gebäudes bis hin zu seiner Umgebung, die sich in diesem widerspiegeln (wie etwa die Zufahrtswege und die gesamte Erschließung der Umgebung) tragen maßgeblich zur Qualität eines Bauwerks bei. Dazu gehören auch das Baumaterial und die Tatsache, dass die Schutzziele realistisch, glaubwürdig und praxisbezogen sein müssen und darauf fixiert zu sein haben, einfache Gefahren von vornherein auszuschließen. Gerade im Material vereinen sich gleich mehrere Schutzbedürfnisse: vor Feuer, vor Einbruch und Diebstahl sowie vor Vandalismus in allen seinen Spielarten bis hin zur Verunstaltung der Wände mit Graffiti. Seit dem Anschlag auf das *World Trade Center* in New York am 11. September 2001 hat das Thema *Bauen und Schützen* eine völlig neue Bedeutung erhalten. Seitdem wird Sicherheit fast reflexartig mit dem Begriff des Terrorismus in Verbindung gebracht. Denn Terrorismus bringt die Menschen aus der Fassung.[2] Dabei ist der Begriff an sich nichts Neues, was der lateinische Wortstamm vom Verb *terrere* (»zittern«, »schrecken«, »erschrecken«) beziehungsweise das daraus abgeleitete Substantiv *terror* (»Angst«, »Schrecken«) erklären. Terror wurde immer und wird auch heute, im normalen Alltagsleben, mit Un-Zuständen in Verbindung gebracht. Bezogen auf feindliche Handlungen, welche die Ordnung störten, hießen die Akteure früher nur anders: Piraten, Ketzer, Räuber,

and engineering technology of modern building, creating a certain matter of course in the fields of planning and building. Spatial relationships, organisational aspects and functional dependencies, from a building's interiors to its surroundings, are reflected in the layout of driveways and access routes, making a significant contribution to the quality of a building. This also applies to the building materials and to the fact that protection goals need to be realistic, credible and practicable, eliminating simple dangers right from the beginning. Building materials in particular have a large role to play when it comes to protection requirements: they are expected to offer protection against fire, burglary and all types of vandalism, including graffiti-sprayed walls. Ever since the attack on the World Trade Center in New York on 11th September 2001, the issue of "building to protect" has acquired a totally new meaning. Since then, the term "safety" has almost invariably been associated with the term "terrorism". This is because terrorism violently throws people off balance.[2] At the same time, the term itself is not new: it comes from the Latin root of the verb "terrere" which means "to tremble", "to scare", "to be frightened", while the corresponding noun "terror" means "fear", "fright". In everyday life, terror has always been and is still associated with abnormal conditions. With regard to enemy activities that disrupt order, the perpetrators only had

Test einer selbst gebastelten Mini-
bombe an einer Puppe

Test eines Fensters gegen einen
Brandsatz

*Home-made mini-bomb tested
on a dummy*

Window tested against firebomb

Freischärler, Partisanen, Guerilleros. Gleichwohl ist Terror zu einem Begriff des modernen Lebens geworden, der vor allem mit kriegsähnlichen Handlungen in Verbindung gebracht wird, die hinterhältig und unerwartet – wie ein Unfall – geschehen, aber weitaus schlimmere Folgen haben. Terror ist der unerklärte Krieg im Alltag, sein Schlachtfeld sind die Straßen. Dieser Krieg hat im Attentat auf das *World Trade Center* am 11. September 2001 mit zwei Verkehrsflugzeugen die zivile Technik selbst zur Waffe gemacht und sich selbst damit ein Symbol gesetzt. Das ist, wie auch die mediale Massenwirkung, eine neue Dimension im Ausdruck von Gewalt und Terror.

Anschläge auf führende Persönlichkeiten des gesellschaftlichen Lebens sind nicht nur ein Phänomen der Gegenwart. Sie gehören in die Chronik der Geschichte. Begonnen hat dieses Kapitel des Terrors im Jahr 1800, als der damalige Erste Konsul Frankreichs, Napoleon Bonaparte, nur knapp einem ihm geltenden Sprengstoffanschlag entging. Politische Gegner hatten Napoleon in einer dunklen Pariser Gasse aufgelauert, als seine Kutsche den Ort passierte. Zwar wird diese Form der Gewalt seitdem als ein von Amts wegen zu kalkulierendes Risiko betrachtet, doch hat der Terrorismus heute eine weitere Dimension erreicht: Er zielt auf anonyme und zufällige Personen im öffentlichen Raum. Aber was kann man machen, wenn, wie etwa in Bagdad, Kabul oder

different names in earlier times, being called pirates, heretics, bandits, franctireurs, guerrilla fighters, and so on. Nonetheless, terror has become an intrinsic part of modern life, becoming associated with war-like activities that are performed insidiously, bursting out into the open unexpectedly, just like a road accident that can take place in everyday life, with the difference that acts of terror have much graver consequences. Terror is the undeclared war of everyday life and its battlefield is the streets. This "everyday war" has succeeded in transforming civilian technology into a lethal weapon, as was seen during the attack on the World Trade Center on 11th September 2001 where two airliners were used which have become an instant symbol for the operations of terror. It set a new precedent in the expression of violence and terror, and in its global reach is comparable only to that of the mass media.

Attacks on leading personalities of social life have existed for a long time. They have always been a part of history. A new chapter of terrorism was opened in 1800 when the then first consul of France, Napoleon Bonaparte, only narrowly escaped a bomb attack. Political opponents had waited in a dark Paris lane for Napoleon's carriage to pass through the area. While it is true that this sort of violence is considered to be an unavoidable risk for persons holding certain public offices, terrorism has

Sicherheitsfenster nach einem Druckwellentest

Security glass after pressure test

Kontrollierte Explosion einer Sprengladung mit 100 Kilogramm Trinitrotoluol (TNT) auf dem Gelände des ehemaligen Flughafens Sperenberg bei Berlin

Controlled explosion of 100 kilograms of TNT on the disused airfield at Sperenberg near Berlin

Islamabad, ein Kleinlaster mit einer geballten Ladung auf ein Gebäude zufährt und Dutzende Menschen in den Tod reißt? Der heutige Terrorismus trifft keine Auswahl mehr zwischen seinen Opfern wie das etwa die Akteure der Rote Armee Fraktion (RAF) in den Siebzigerjahren noch taten.

Terrorschutz

So paradox es klingen mag: Friedliche Demonstranten oder protestierende Aktivisten können für das Aufdecken von Gefahrenquellen sehr nützlich sein, finden sie schließlich Sicherheitslücken, die sie medial für ihren Protest zu nutzen wissen. In einer Zeit, in der jeder Ort durch Google und durch die Vernetzung sonstiger Daten zu jeder Zeit sichtbar und virtuell zugänglich wird, stehen konventionelle Sicherheitskonzepte ohnehin auf dem Prüfstein. Der virtuelle Zugang zu Objekten ist nur der erste Schritt zum leibhaftigen Zugang. Das zeigen immer wieder die Akte islamischer Terrornetzwerke, die sich virtueller Dienste und Techniken bedienen. Wie kann man sich also noch schützen? Zudem wohnt der Rede über Terrorsicherheit und Terrorschutz ein eigenwilliger Widerspruch inne: Denn weil das Reden über Terrorschutz wie ein Reden über einen militärischen Plan schon Geheimnisse offenbart und schutzlos macht, findet das Sprechen darüber über die Fachöffentlichkeit hinaus allenfalls als

reached a new level today: it randomly targets anonymous people in public spaces. What are we to do when a light truck laden with explosives heads towards a building in Baghdad, Kabul or Islamabad, killing dozens of people? Terrorism doesn't anymore distinguish between its victims as the members of the Rote Armee Fraktion (RAF) had, for instance, still done.

Protection from Terror

As paradox as it may sound, peaceful demonstrations and activists' protests can be very helpful when it comes to identifying sources of threats as they are able to find breaches in security, making full use of them in a media spotlight. In a time in which every place can become visible and virtually accessible via Google and through networked data, conventional security concepts are being rethought. Virtual accessibility of places and objects is only the first step towards physical accessibility. The files on Islamic terror networks clearly show that they make full use of virtual services and technologies. How then can one still be safe? The debate on terror prevention and terror protection is suffused with an unconventional and tragic irony: since the talk on terror protection sounds much like military talk, there is the risk that secrets are made public which could ultimately lead

Einschusslöcher auf einer
zwei Millimeter dicken Metallplatte

*Bullet holes in two-millimetre
metal plate*

Meta-Diskurs innerhalb der modernen Gesellschaft statt. Und selbst dann ist das, was ausgesprochen wird, in diesem Moment schon nicht mehr geheim. Geheimhaltung aber wiederum ist ein wesentlicher Schutzfaktor. Andererseits ist Kommunikation unerlässlich. Sie ist Voraussetzung dafür, um das Richtige zu tun. Ohne Gedankenaustausch keine Fortentwicklung.
Die italienische Kuratorin Paola Antonelli hat vor einigen Jahren mit ihrer Ausstellung *safe. Design takes on risk*[3] eine wegweisende Antwort auf die Frage nach Sicherheit als Gestaltungsaufgabe gegeben. In der Ausstellung im New Yorker *Museum of Modern Art* zeigten knapp 100 Künstler und Designer ihre Vorstellungen von einer gestalteten Sicherheitsumwelt. Die Beiträge machten zudem etwas ganz Entscheidendes deutlich, wenn es um die Unterscheidung zwischen Schutz und Sicherheit geht:
Safety bedeutet geschützt zu sein gegen menschliches Versagen oder gegen Gewalteinwirkungen von außen. *Security* meint indes das aktive Vorgehen gegen einen böswilligen und klugen Gegner, der absichtlich und gezielt Fehler im Sicherheitssystem in ungünstigsten Momenten verursacht. Oder einfach so: Schutz bedeutet, außerhalb von Gefahr zu sein – also Prävention.
Gerade deshalb kann es unangemessen sein, wenn Architektur als Antwort darauf Bauten schafft, die wie ein Hochsicherheitstrakt oder ein Gefängnis aussehen. Neben der Wirtschaftlichkeit eines Sicherheitskonzepts, das von der Anordnung der Gebäude auf dem Grundstück über die Architektur bis hin zur sinnvollen Platzierung des Feuerlöschers reicht, steht die Praktikabilität und Akzeptanz ganz vorne. Es ist jenes Wechselspiel aus Sicherheit und Gefahrenvorbeugung einerseits und Atmosphäre andererseits. Wenn schon ein Haus aussieht wie ein Gefängnis, dann kann das nicht nur abschreckend auf Passanten wirken, sondern einen Imageschaden für die Institution selbst darstellen. Die US-amerikanische Botschaft

to a nullification of defence measures. As such, public debate on the subject, with the possible exception of the field of experts, at best takes place as a kind of "meta discourse" in modern society. In many cases, public discourse transforms secrets into public knowledge. Secrecy, however, constitutes an important security factor. On the other hand, communication is vital, a condition that is required for success. Without an exchange of thoughts and perspectives there is no progress.
The Italian curator Paola Antonelli has given a telling answer to the question of security as design issue some years ago with her exhibition safe. Design takes on risk.[3] *The exhibition, held at the Museum of Modern Art in New York, displayed works of around 100 artists and designers whose designs for a secure environment were presented. Importantly, the contributions made a clear distinction between protection and safety: Safety means to be protected against human error or violent external changes. Security, on the other hand, denotes active countermeasures that are taken against a malicious and smart enemy who deliberately and specifically causes errors in security systems in certain vulnerable moments. Or put more simply: "Safety is being out of danger", i. e. preventing danger.*
It is precisely for this reason that it can be inappropriate for architects to try to meet these challenges by building structures that look like high-security wings or even prisons. Apart from the economic viability of a security concept that encompasses everything from the arrangement of buildings on a given site, the architecture and appropriate placement of fire extinguishers, practicability and acceptance are highly valued. This concerns a balanced interplay between safety and prevention of danger on the one hand and creating a positive atmosphere on the other. If a building already looks like a prison it will not only scare off passers-by, but can lead

Michael Wilford & Partners:
Britische Botschaft in Berlin (2000)

*Michael Wilford & Partners:
British Embassy in Berlin (2000)*

Moore Ruble Yudell Architects & Planners:
Botschaft der Vereinigten Staaten von Amerika in Berlin (2008)

*Moore Ruble Yudell Architects & Planners:
Embassy of the United States of America in Berlin (2008)*

in Berlin beispielsweise belegt, wie trotz extremer Sicherheitsbauten, bestehend aus versenkbaren Pollern und einem zweieinhalb Meter hohen Stabwerk, all das vermieden wird und dennoch ein gebautes Sicherheitssystem funktionieren kann, weil dieses gar nicht bemerkt wird. Es ist wie in der Natur. Die Krallen einer Katze, die Waffen eines Delphins oder die Giftzähne einer Schlange sind auch nicht auf den ersten Blick zu sehen. Gerade in der Unsichtbarkeit ihrer Wirkmacht liegt der taktische Zug der Natur, der auch in der gebauten Welt des Menschen immer wieder vorteilhaft technisch umgesetzt wurde. Der unsichtbare Überraschungseffekt einer Konstruktion ist schon so manchem Gegner zum Verhängnis geworden.
Tarnen oder täuschen ist der Trick, den sich Sicherheitsdesign auch heute erfolgreich zu eigen macht. Architektur als zweckmäßige Kunst hat viele optische Gestaltungsvarianten, die bei der Konstruktion eines Baus beginnen und sich nicht allein in der Wahl natürlicher massiver Materialien oder in Details der Fenster- und Türentechnik erschöpfen. Die Festungen vergangener Jahrhunderte zeigen ebenso wie Bauten, die Autorität verströmen sollen, dass die Wirkung bereits im Baustoff sowie in der Kunst selbst liegt, daraus ein kluges Ganzes zu konstruieren. Ästhetische und formschöne Architekturen erzeugen Respekt aus sich heraus – bei gleichzeitiger Vortäuschung des Unscheinbaren oder der Normalität. Genau das macht auch die Planung von Bauten für sicherheitsempfindliche Institutionen mitten

*to serious image loss for the institution that is housed in the building. The US embassy in Berlin, for instance, exemplifies how safe buildings can be created, complete with concealable bollards and two-and-a-half metre high truss poles, without creating the impression of a prison, as described above. The built-in security system functions well because it is hardly visible. It is like in nature. The claws of a cat, the weapons of a dolphin or the venomous teeth of a snake are also invisible at first sight. It is precisely their invisibility which makes them nature's effective weapons, becoming a model for technological applications in the human world as well. The invisible surprise effect of structures has, in the past, proven its worth against a range of enemies and threats.
The trick lies in camouflage and deception, being successfully applied in safety design today. Architecture being a practical art has many design options at its disposal, starting from the structure of a building, and not limiting themselves to the choice of natural and massive materials or details of window and door design.
The fortresses of past centuries, just like the buildings that were constructed to project authority, show that it is the materials and the art of combining them that are responsible for creating a smart and holistic ensemble. Aesthetic and shapely architecture generates a sense of natural respect while, at the same time, it is able to remain inconspicuous. This is precisely the reason why*

Seiten 26/27:
Assembly Hall in Chandigarh/Indien,
Architekt: Le Corbusier, 1953–1961

Pages 26/27:
Assembly Hall in Chandigarh/India;
architect: Le Corbusier, 1953–1961

in der Stadt möglich. Bauen für die Sicherheit wird somit in vielfacher Weise auch dem ökologischen Anspruch auf Nachhaltigkeit gerecht. Denn wenn es um Schutz und Sicherheit geht, dann geht es um Normalität und um Respekt. Das Ziel des Terrors ist es, genau das Gegenteil davon in einer Gesellschaft zu erzeugen. Die Reaktion darauf ist schon heute ein gefährlicher Sicherheitskult, der, wie Elisabeth Blum in ihrem Buch *Schöne neue Stadt*[4] anmerkt, aus einer geradezu manischen Sehnsucht nach Normalität, Geborgenheit und Sicherheit sowie totaler Unverwundbarkeit einen Zustand der permanenten technischen Überwachung, Kontrolle und eine damit einhergehende gefühlte oder reale Bevormundung generiert.
Könnte es sein, dass genau damit das Ziel der Terroristen erreicht ist? Denn es geht ihnen nicht so sehr um möglichst viele Opfer und zertrümmerte Gebäude, sondern um die Zermürbung einer Gesellschaft. Wer dieser Atmosphäre der Angst wirksam begegnen will, muss nach neuen Möglichkeiten suchen, den Menschen auf verlässliche und so wenig wie möglich hysterische Art Schutz zu bieten. Gut geplante, auf diese Bedürfnisse reagierende Gebäude gehören dazu. Mit Sicherheit.

1 Mühlen, Rainer von zur: *Sicherheitsmanagement.* Stuttgart 2006
2 Townshend, Charles: *Terrorismus.* Stuttgart 2005
3 Antonelli, Paola: *safe. Design Takes On Risk.* New York 2005
4 Blum, Elisabeth: *Schöne neue Stadt.* Basel 2003

security-sensitive institutions can be planned in city centres. Building for safety in many ways also means building for ecological sustainability: when protection and safety are at stake, then normality and respect are at stake too. Terror has the objective of producing exactly the opposite effect in a society. Reacting to this situation has, however, already produced a dangerous cult of safety which results out of an almost manic yearning for normalcy, security and absolute invulnerability, leading to permanent technological surveillance, control and an uneasy sense that "big brother" is always watching, as Elisabeth Blum has observed in her book *Schöne neue Stadt.*[4]
Could it be that this is precisely the effect terrorists want to achieve?
Their real goal does not lie in killing as many victims or destroying as many buildings as possible, but in the attrition of a society. Countering this atmosphere of fear effectively requires new solutions that provide dependable yet inconspicuous security.
What is certainly needed are well-planned buildings that successfully reflect these issues.

1 Mühlen, Rainer von zur: *Sicherheitsmanagement.* Stuttgart 2006
2 Townshend, Charles: *Terrorismus.* Stuttgart 2005
3 Antonelli, Paola: *safe. Design Takes On Risk.* New York 2005
4 Blum, Elisabeth: *Schöne neue Stadt.* Basel 2003

Deutsche Botschaft
German Embassy
New Delhi/Indien

Bauherr
Bundesamt für Bauwesen und Raumordnung

Kontaktarchitekt
ABRD Architects Pvt. Ltd.

Haustechnik
Happold Ingenieure GmbH

Tragwerkplanung
CRP Bauingenieure GmbH

Denkmalpflege
Prof. Dr. Jörn Düwel

Generalsanierung
2008–2013

Der erste Botschaftsneubau der damals jungen Bundesrepublik entstand von 1956 bis 1962 nach den Plänen von Johannes Krahn in Indien. Das parkartige Grundstück mit Botschafterresidenz und Kanzlei wurde im Laufe der Jahre immer weiter bebaut, so dass heute Gebäude aus unterschiedlichen Abschnitten der zweiten Hälfte des 20. Jahrhunderts ein Ensemble im Stil der Internationalen Moderne bilden. Mit der denkmalpflegerisch begleiteten Generalsanierung der Botschaft soll zum einen die Farbgebung des Originalentwurfs wiederhergestellt werden, zum anderen gilt es, das Haus nach den neuesten Standards für Erdbebensicherheit, Terrorschutz und ökologische Nachhaltigkeit zu ertüchtigen. Als Vorab-Baumaßnahme wurde die Fassade einer Neugestaltung unterzogen. Sie ist unübersehbar von der Architektur Le Corbusiers inspiriert, der mit seinen Planungen für die nordindische Stadt Chandigarh einen maßgeblichen Beitrag zur Durchsetzung der Architekturmoderne auf dem Subkontinent leistete.

Designed by Johannes Krahn and built in 1956–1962, the German Embassy in India was the first to be commissioned by the new Federal Republic of Germany. The residence and chancellery in their park-like setting collected many additions over the following five decades, producing an ensemble in the International Style. The influence of Le Corbusier, whose architecture in Chandigarh effectively established the modernist movement in India, is unmistakable. The modernization will restore the original colour scheme while bringing the building up to the latest standards of earthquake protection, security, and ecological sustainability.

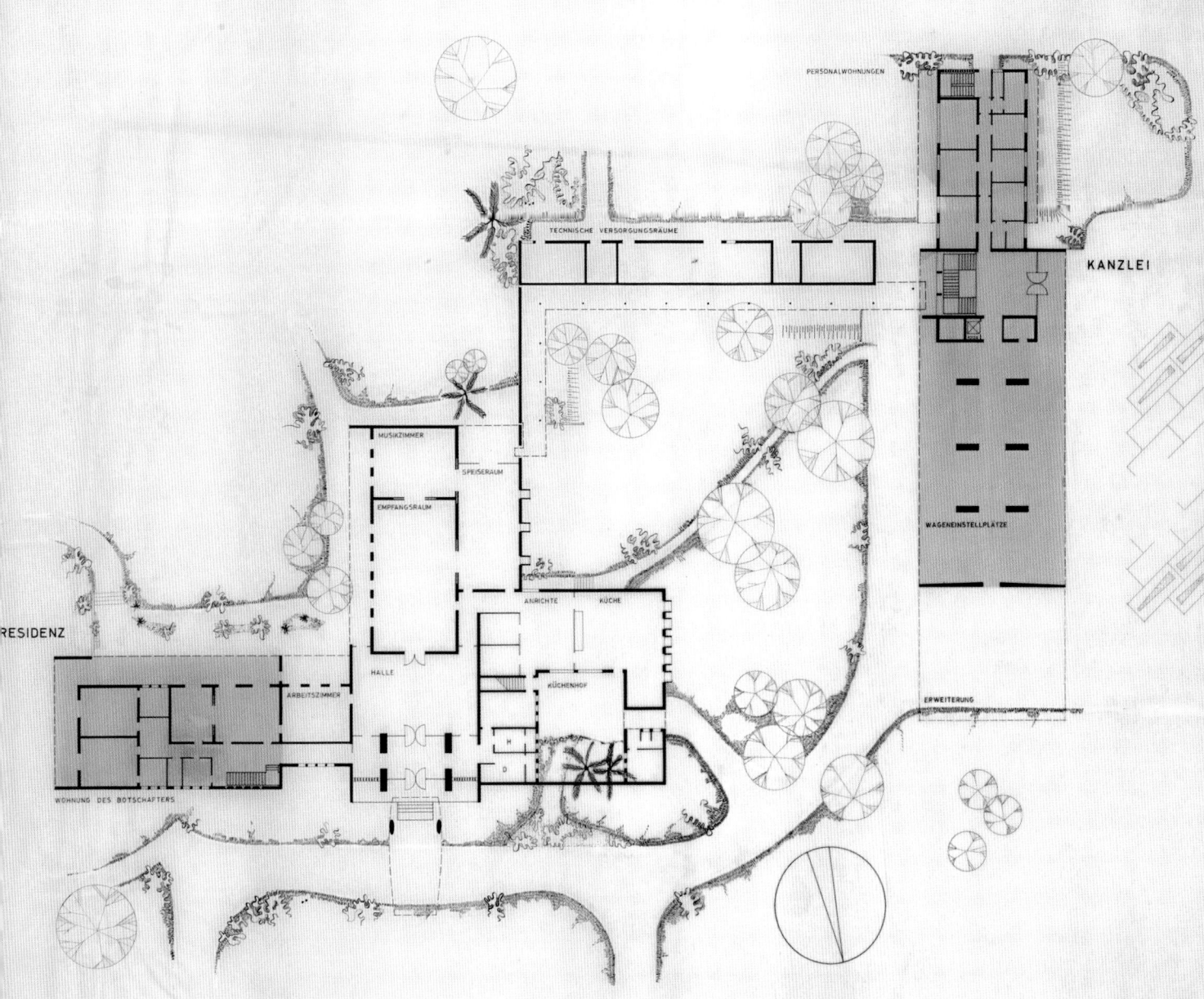

Neubau Deutsche Botschaft New Delhi.

306/25

[Wasservorratsbecken des Unternehmers]
Kanzleigebäude vom Garten gesehen.

306/26

Kanzleigebäude vom Dach der Residenz gesehen

Bauleitung Deutsche Botschaft New Delhi.
12/6.57.

Johannes Krahn:
Residenz des deutschen Botschafters,
Musikzimmer (1956–1959)

Johannes Krahn:
Residenz of the German Ambassador,
Music Room (1956–1959)

Johannes Krahn:
Deutsche Botschaft Neu-Delhi,
Kanzleigebäude (1956–1959)

*Johannes Krahn:
German Embassy in New Delhi,
Chancellery (1956–1959)*

Residenz, Decke Musikzimmer
Residence, Music Room, ceiling

Residenz, Sonnenschutz Foyer
Residence, foyer, sunblind

Badehaus, Fensterelement
Bath House, window element

Residenz, Sonnenschutz Esszimmer
Residence, Dining Room, static sunblind

  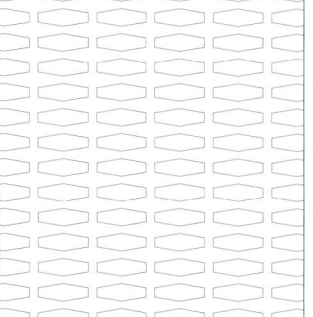  

Dachgeschoss der Kanzlei
Chancellery, attic

Oberlicht des Kücheneingangs
Kitchen entrance, skylight

Diplomatic Missions 35

Kanzleigebäude und Residenz, Ansicht Ost (1960)
Chancellery and Residence, east elevation (1960)

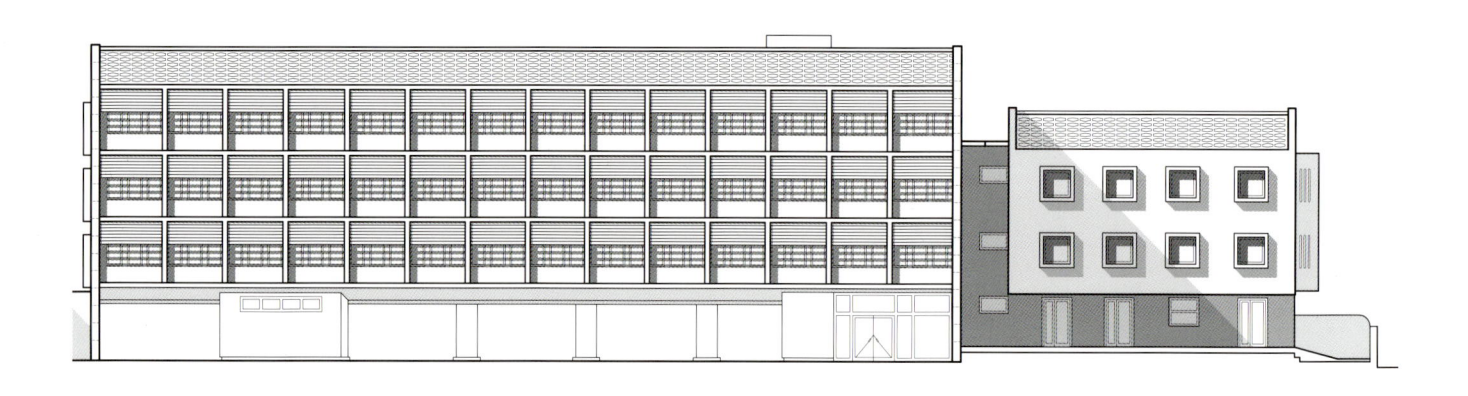

Kanzleigebäude, Ansicht West (1962), Maßstab 1:400
Chancellery, west elevation (1962), scale 1:400

36 Diplomatic Missions

Kanzleigebäude, Ansicht Südwest (1962), Maßstab 1:400
Chancellery, south-west elevation (1962), scale 1:400

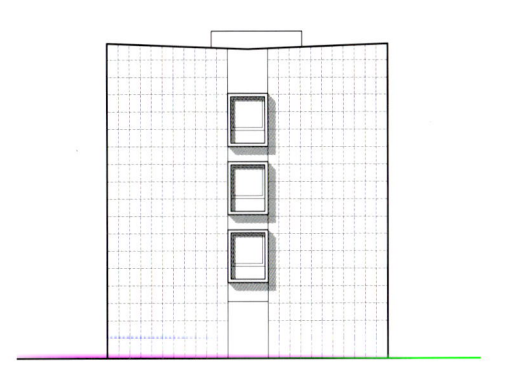

Kanzleigebäude, Ansicht Nordost (1962), Maßstab 1:400
Chancellery, north-east elevation (1962), scale 1:400

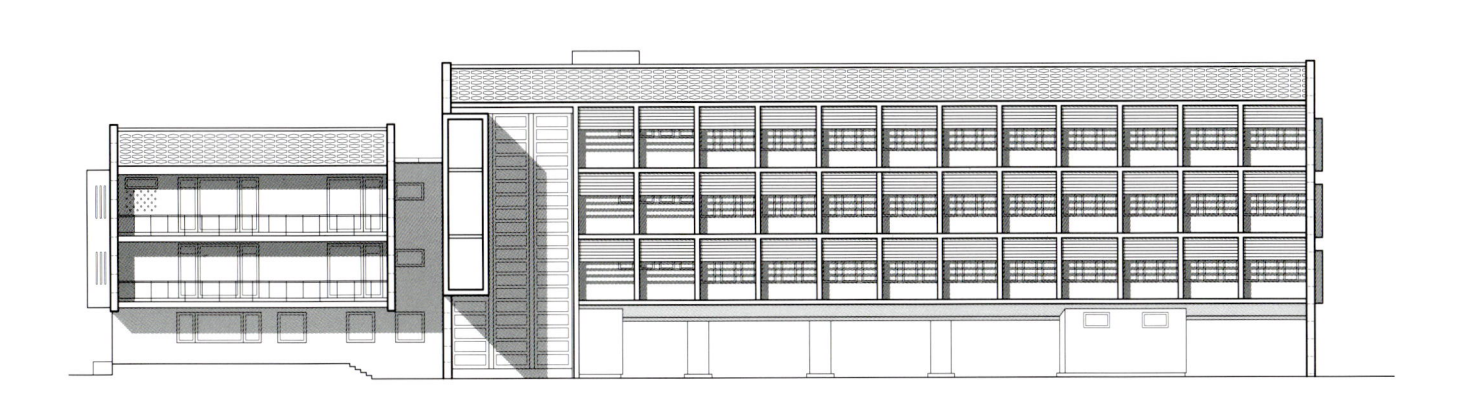

Kanzleigebäude, Ansicht Ost (1962), Maßstab 1:400
Chancellery, east elevation (1962), scale 1:400

Diplomatic Missions 37

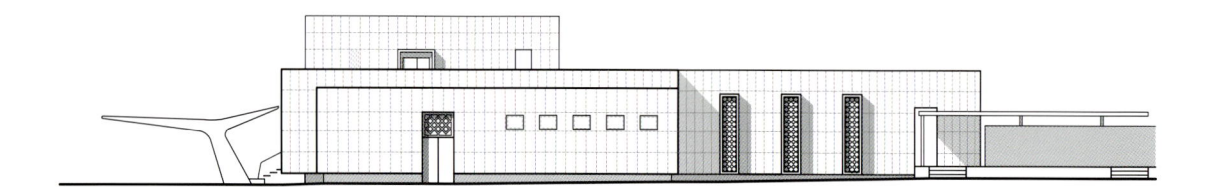

Residenz, Ansicht Nordwest, Maßstab 1:400
Residence, north-west elevation, scale 1:400

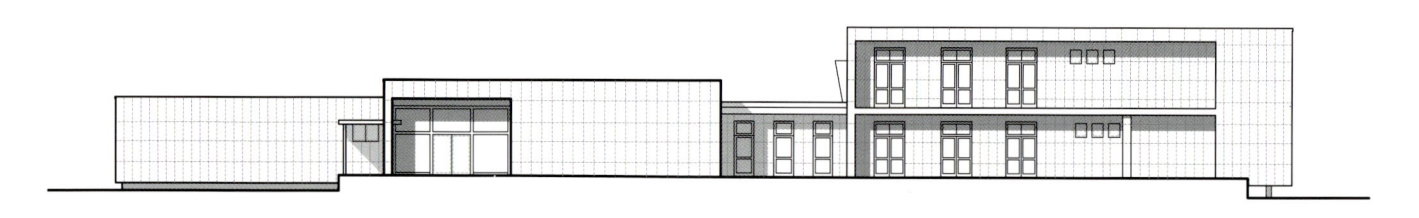

Residenz, Ansicht Südwest, Maßstab 1:400
Residence, south-west elevation, scale 1:400

Residenz, Ansicht Südost, Maßstab 1:400
Residence, south-east elevation, scale 1:400

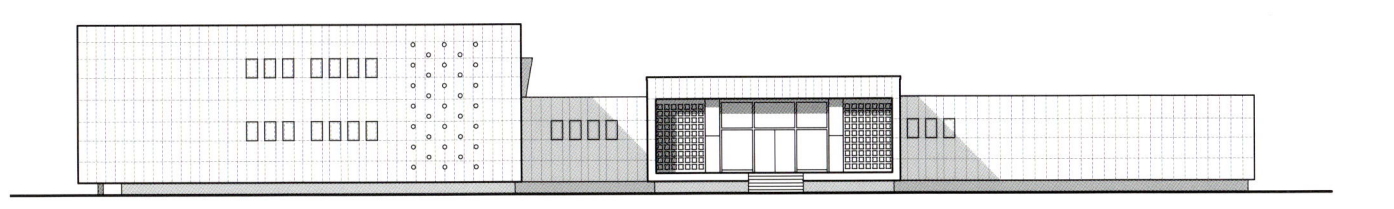

Residenz, Ansicht Nordost, Maßstab 1:400
Residence, north-east elevation, scale 1:400

40 Diplomatic Missions

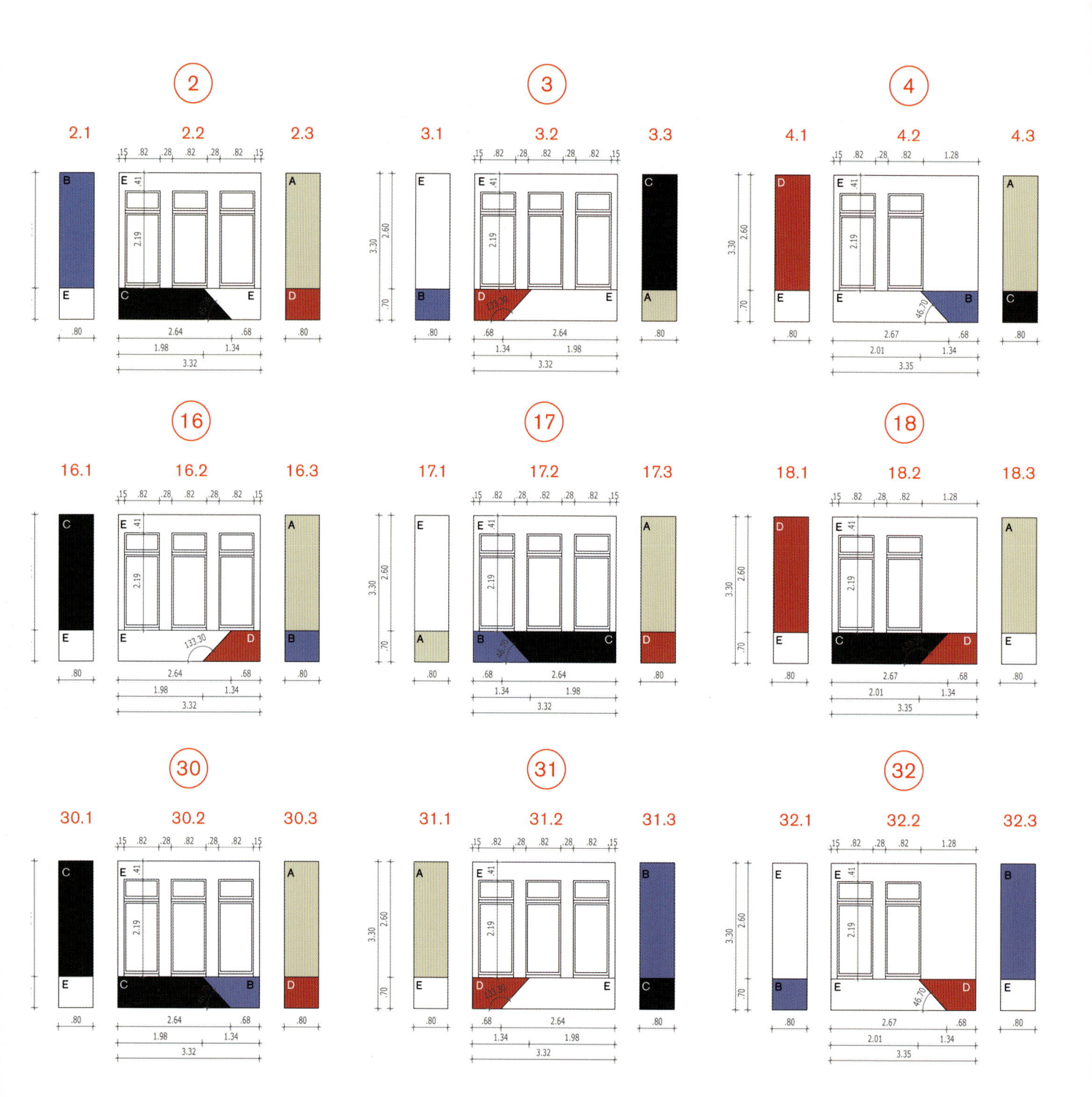

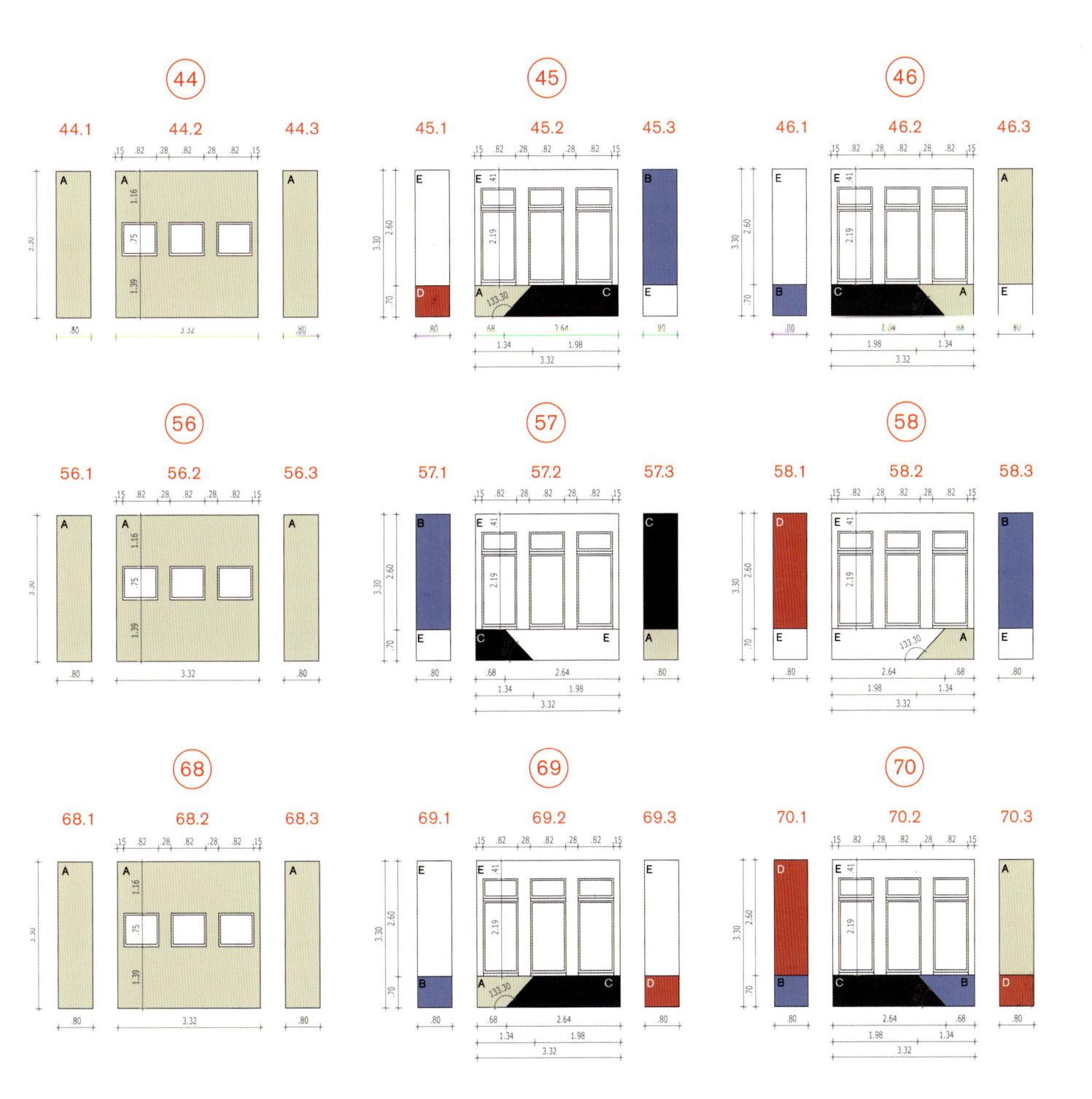

Diplomatic Missions 41

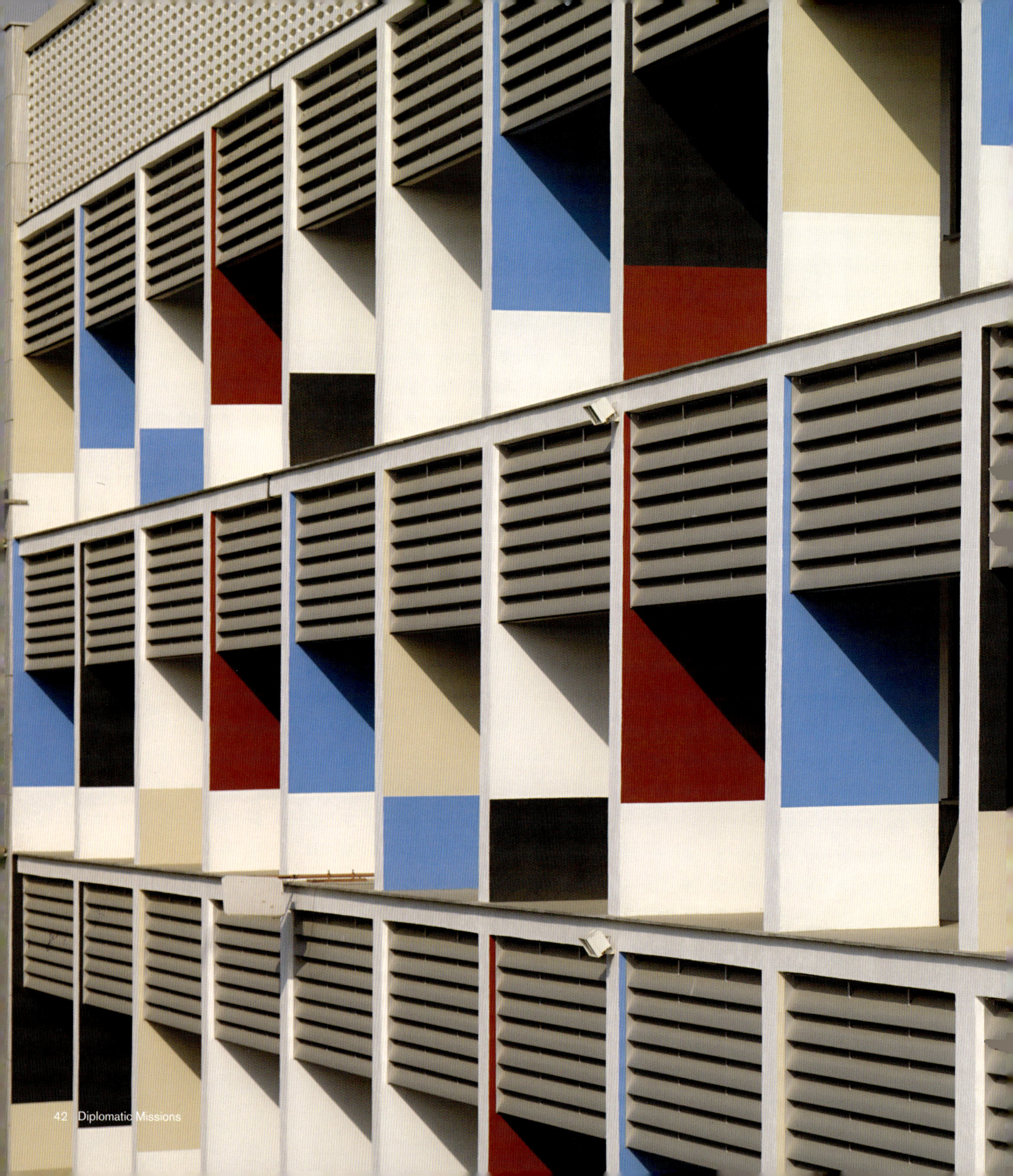

Diplomatic Missions 43

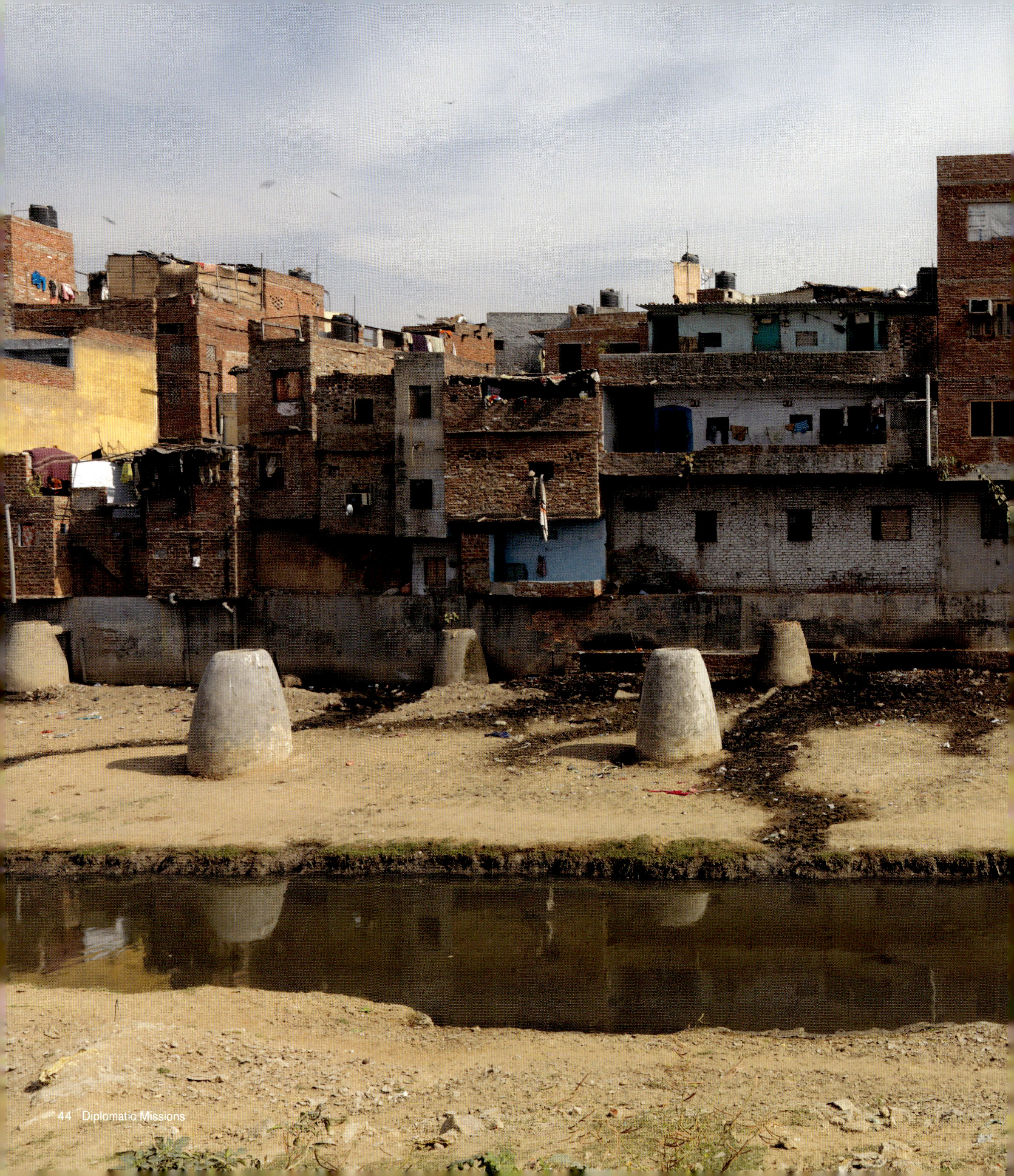

DEL

NEU-DELHI IN DER INDISCHEN HAUPTSTADT GEHÖREN MITTELALTERLICH WIRKENDE SIEDLUNGEN ZUM ALLGEGENWÄRTIGEN STADTBILD.

NEW DELHI MANY PARTS OF THE INDIAN CAPITAL ARE REMINISCENT OF MEDIEVAL TOWNS OR VILLAGES.

46 Diplomatic Missions

SJJ

SARAJEWO ZEHNTAUSENDE GRABSTEINE ZEUGEN MITTEN IM STADTGEBIET VON DEN FOLGEN DES BÜRGERKRIEGS MITTE DER NEUNZIGERJAHRE.

SARAJEVO TENS OF THOUSANDS OF GRAVES RIGHT IN THE CITY BEAR WITNESS TO THE CIVIL WAR OF THE MID-1990S.

Deutsche Botschaft
German Embassy
Sarajewo/Bosnien und Herzegowina

Bauherr
Bundesamt für Bauwesen und Raumordnung

Kontaktarchitekt
ADS Studio, Sarajewo

Projektadresse
ul. Buka 11–13
Sarajewo

Planung
2008–2010

Auch wenn in der Hauptstadt Bosnien-Herzegowinas die Spuren des Bürgerkriegs noch längst nicht getilgt sind, ist unübersehbar, dass sich in den Straßen und Gassen der von Hügeln umgebenen Stadt viel neues Leben regt. Auch die diplomatische Vertretung der Bundesrepublik strebt nach einer repräsentativen Adresse in Sarajewo. Man entschied sich für zwei Villen, die vormals als Kindergarten dienten. Die beiden Gebäude in extremer Hanglage wurden nicht nur um jeweils einen geometrisch klar konturierten Baukörper erweitert, sondern auch im Hinblick auf Erdbeben- und Terrorsicherheit sowie Klimaschutz nach strengsten Maßgaben ertüchtigt. Als Grundlage für die umfangreichen Baumaßnahmen diente der Entwurf eines lokalen Architekturbüros, der den deutschen Standards entsprechend umgearbeitet wurde. Die Häuser sollen komplett entkernt und angesichts der gegebenen Gefahr von Erdrutschen mit einer internen Pfahlkonstruktion gesichert werden. Die verwendeten Fassadenmaterialien – Bruchstein und Muschelkalk – nehmen Bezug auf die lokalen Bautraditionen.

With new life reinvigorating the war-torn capital of Bosnia and Herzegovina, Germany needed a new diplomatic address. Two villas on a steeply sloping hillside will be brought up to the strictest standards of earthquake protection, security, and climate protection, with a clearly contoured geometrical extension added to each. Following a design by a local architect that was adapted to comply with German building standards, the two villas will be gutted and provided with an internal pillar construction to prevent landslides. The façade materials – quarry stone and shelly limestone – reference local building traditions.

Diplomatic Missions 49

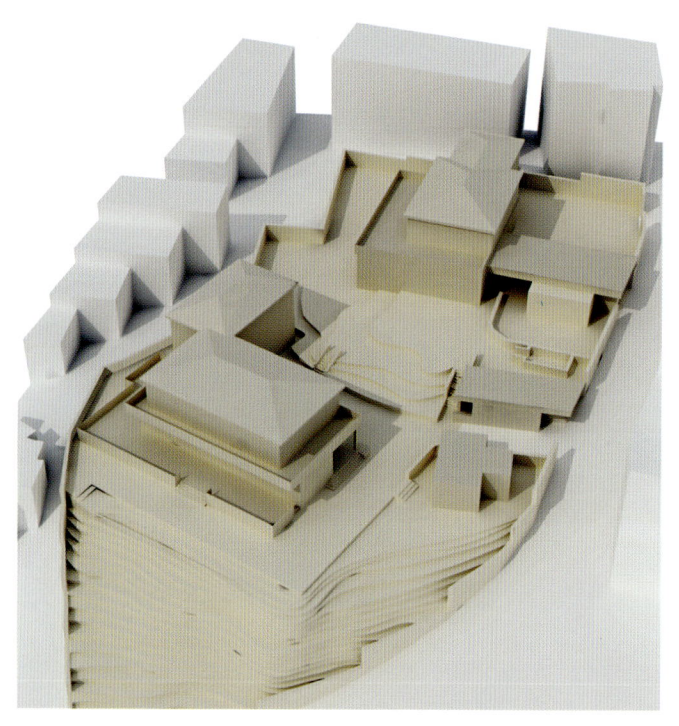

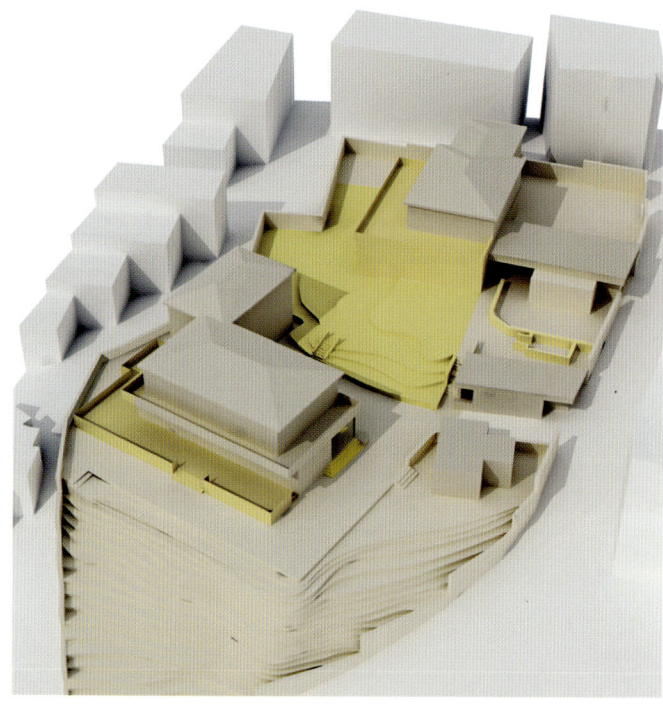

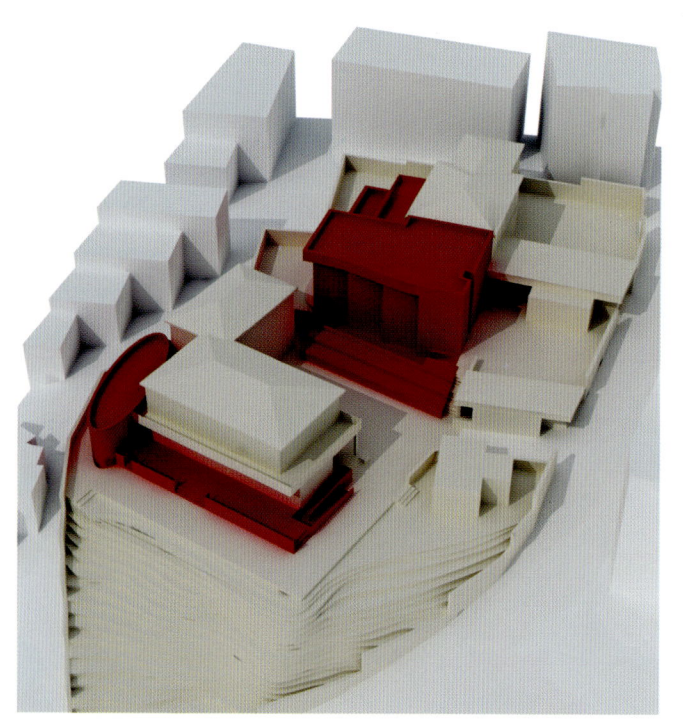

Gegenüberstellung der Abrisse und Neubaumaßnahmen

Comparison of original buildings and redevelopment

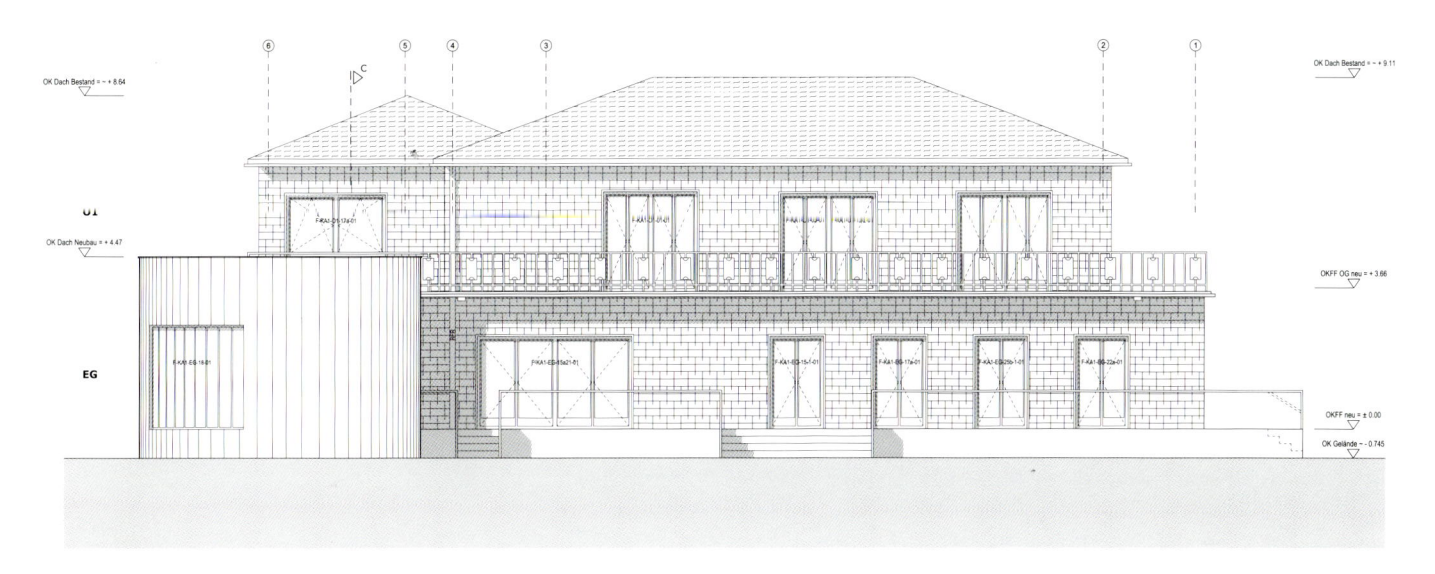

Ansicht Süd-Ost
South-east elevation

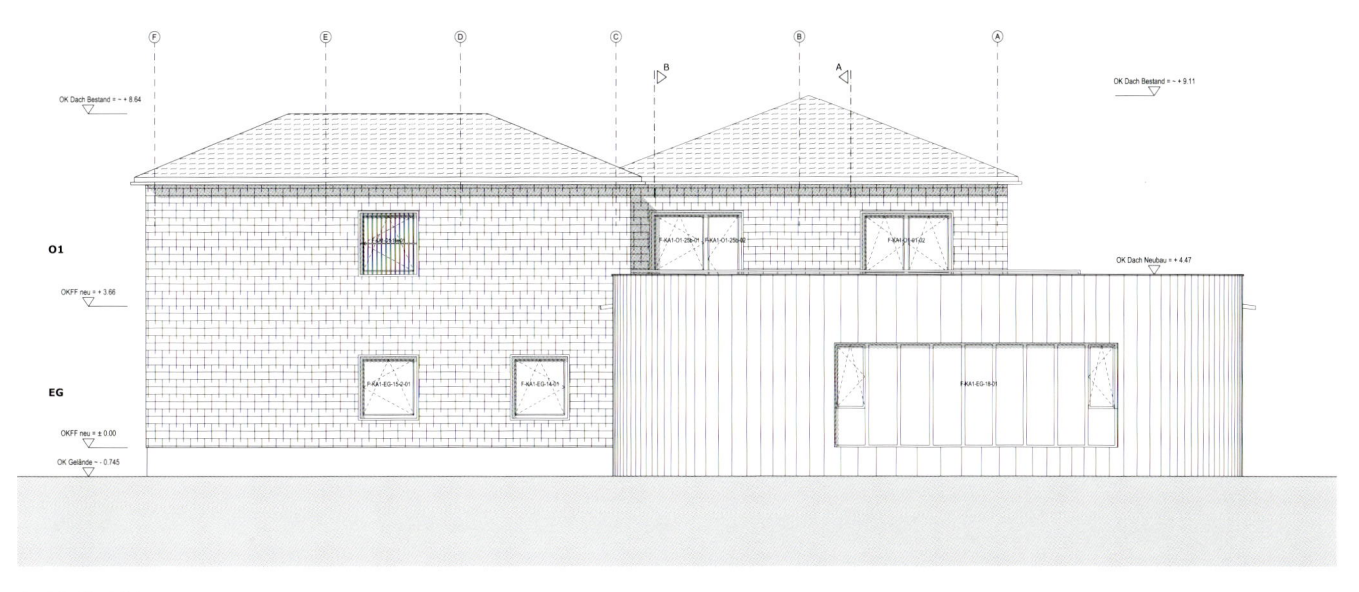

Ansicht Süd-West
South-west elevation

Diplomatic Missions 51

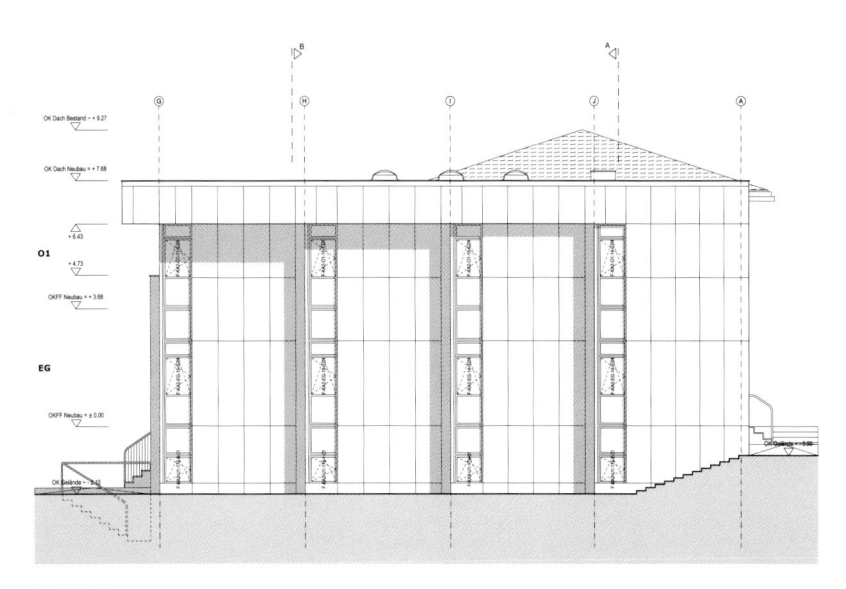

Ansicht Ost
East elevation

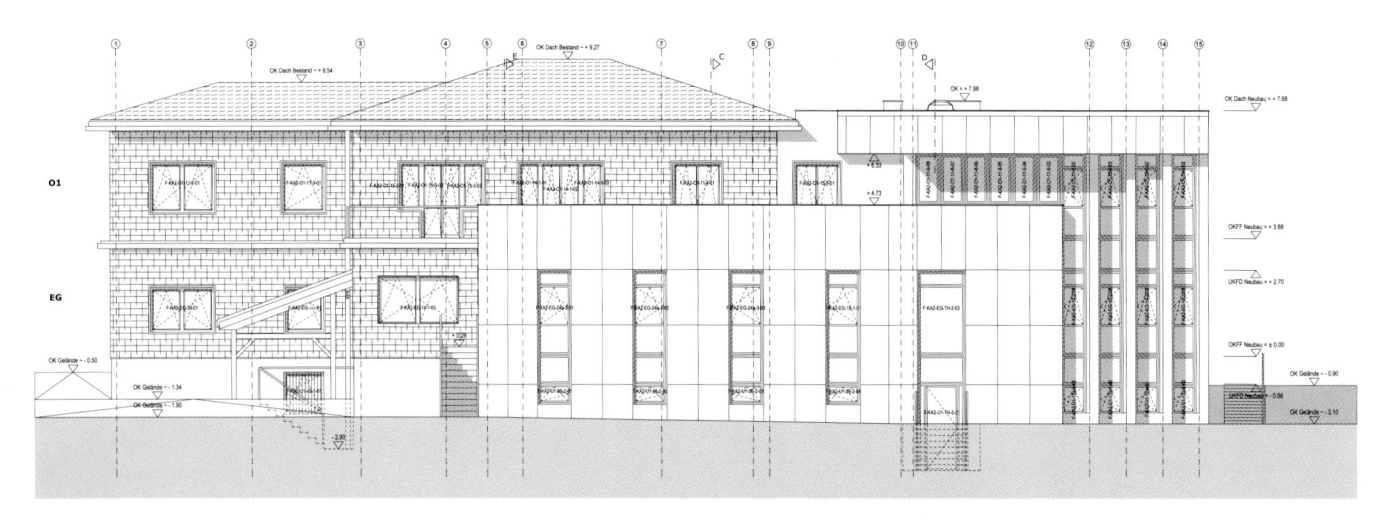

Ansicht Süd
South elevation

52 Diplomatic Missions

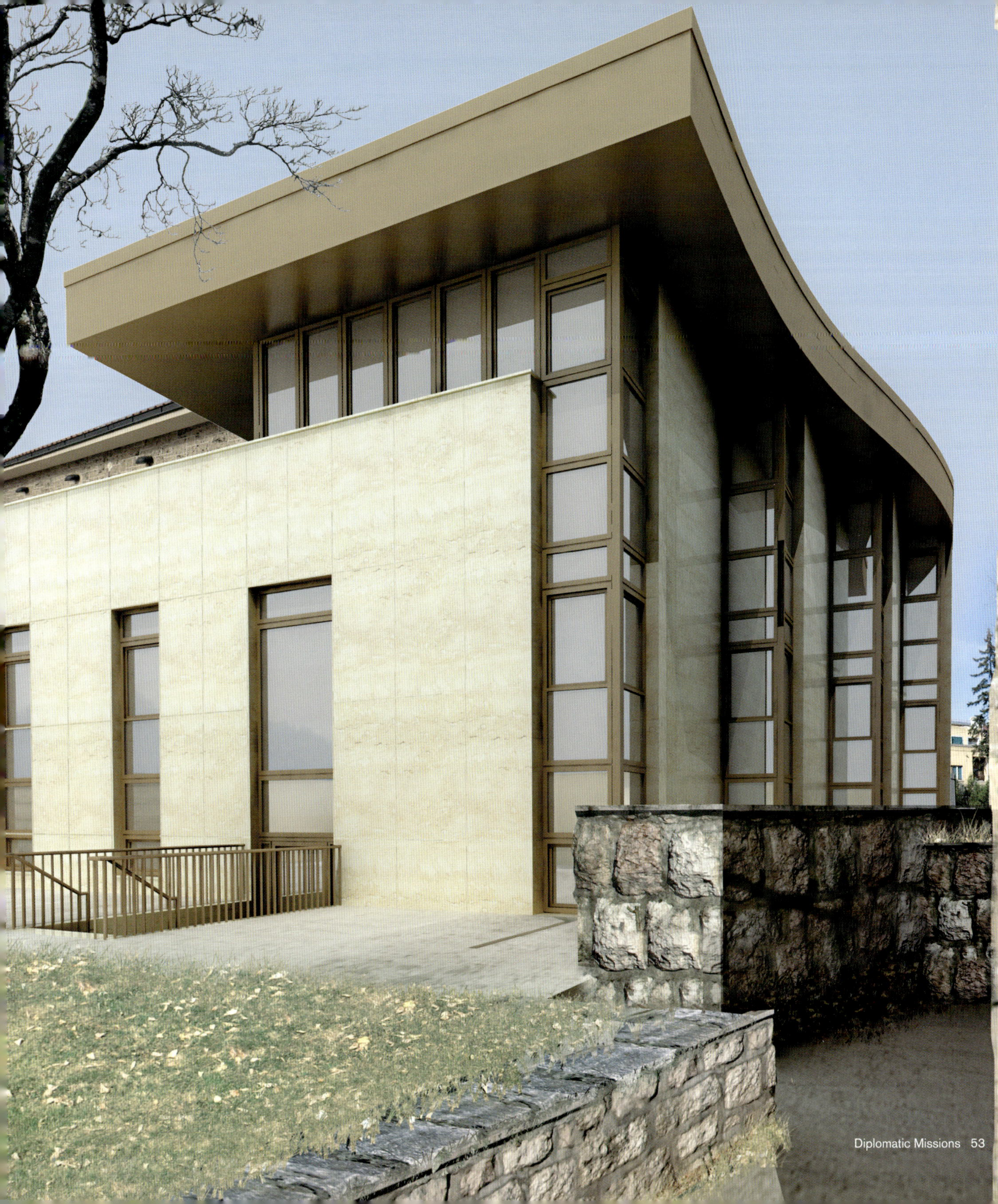

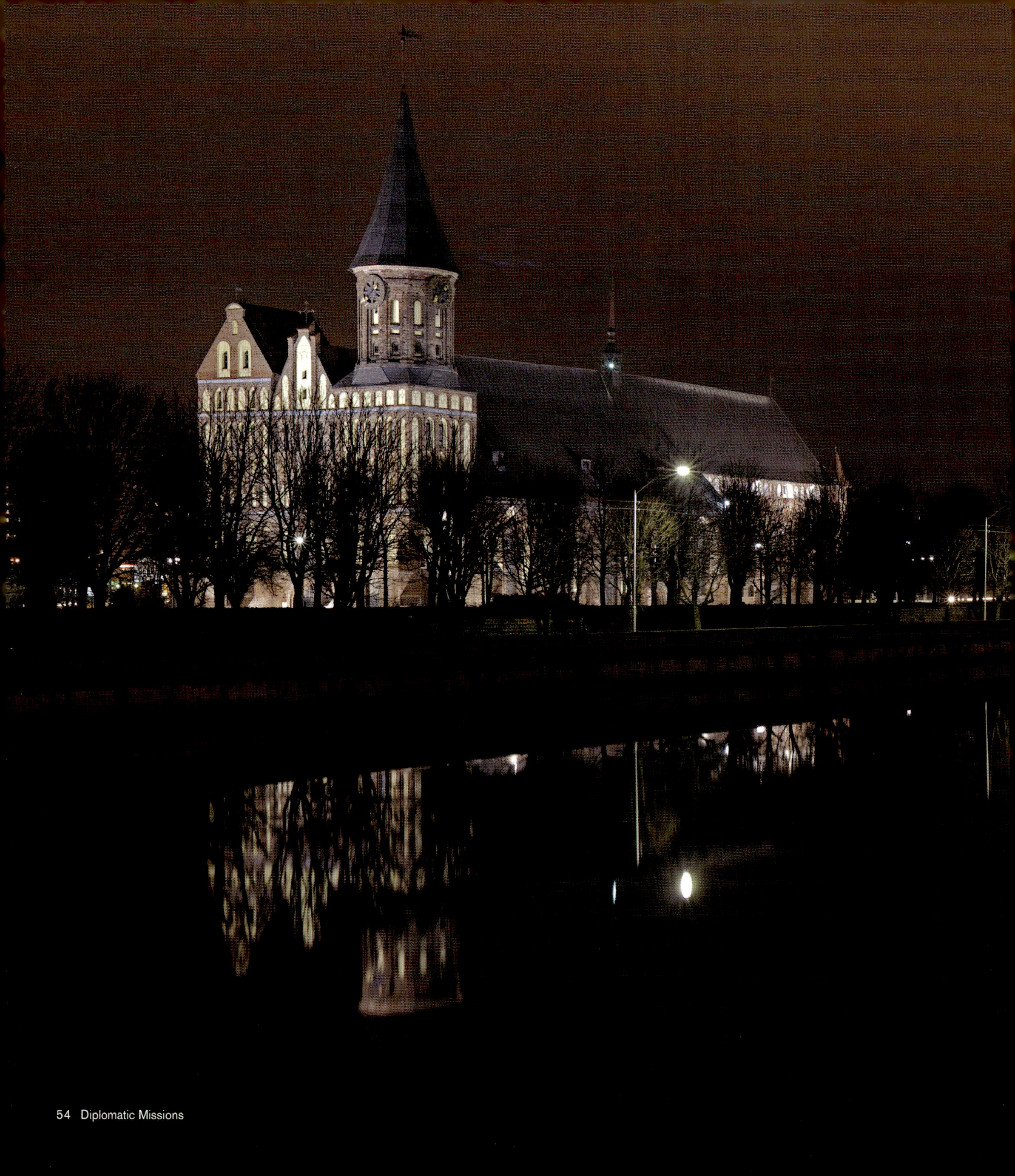

KGD

KALININGRAD DER KNEIPHOF RUND UM DEN DOM WAR BIS ZUM ENDGÜLTIGEN ABRISS IN DEN NACHKRIEGSJAHREN DAS HERZ DES OSTPREUSSISCHEN KÖNIGSBERG.

KALININGRAD THE KNEIPHOF QUARTER SURROUNDING THE CATHEDRAL WAS THE HEART OF THE EAST PRUSSIAN CITY OF KÖNIGSBERG UNTIL IT WAS FINALLY TORN DOWN AFTER THE SECOND WORLD WAR.

Deutsches Generalkonsulat
German Consulate General
Kaliningrad/Russische Föderation

Bauherr
Bundesamt für Bauwesen und Raumordnung

Projektadresse
ul. Leningradskaja 2
Kaliningrad

Zeitraum
2006–2007

Schon allein aus historischen Gründen ist das deutsche Generalkonsulat in Kaliningrad, der russischen Exklave im Baltikum, ein besonderer Ort. Im ehemaligen Königsberg mit seiner langen Tradition residierte die Vertretung der Bundesrepublik bis zum Jahr 2004 in einer angemieteten Hoteletage; die Wahrnehmung konsularischer Aufgaben fand daher nur in einem eingeschränkten Rahmen statt. Damit russischen Staatsbürgern die Möglichkeit eines Einreise-Antrags für den Schengen-Raum gegeben werden konnte, wurde ein dreigeschossiger Bürobau aus den Neunzigerjahren als Visa-Stelle hergerichtet. Obwohl bei der Planung vorrangig Aspekte der Sicherheit und Funktionalität im Vordergrund standen, ist es gelungen, dem nüchternen Verwaltungsbau mittels einfacher, gleichwohl effektvoller gestalterischer Eingriffe eine freundlich-heitere Anmutung zu verleihen. Die farbenfrohe Fassadengestaltung des Eingangsgebäudes entbietet ein unerwartetes Willkommen und auch das Innere des Gebäudes überrascht mit frischem, bunten Dekor. Da dieses Projekt ein auf zwei Jahre befristetes Provisorium darstellt, stand den Architekten nur ein begrenztes Budget zur Verfügung. Für eine einladende und überraschende Geste hat es allemal gereicht.

History makes the German consulate-general in Kaliningrad a special place: this Russian exclave on the Baltic was once the German city of Königsberg. But until 2004 the consulate had to make do with rented rooms in a hotel. A temporary Schengen visa centre has now been created in a three-storey 1990s office building. Although planning focused on security and functionality, and the budget was limited, the architects still succeeded in creating a cheerful, welcoming atmosphere. Behind the colourful façade of the entrance block the interior, too, offers some decorative surprises.

Diplomatic Missions 57

58 Diplomatic Missions

Diplomatic Missions 59

Pförtnerhaus
Gatehouse

Diplomatic Missions 61

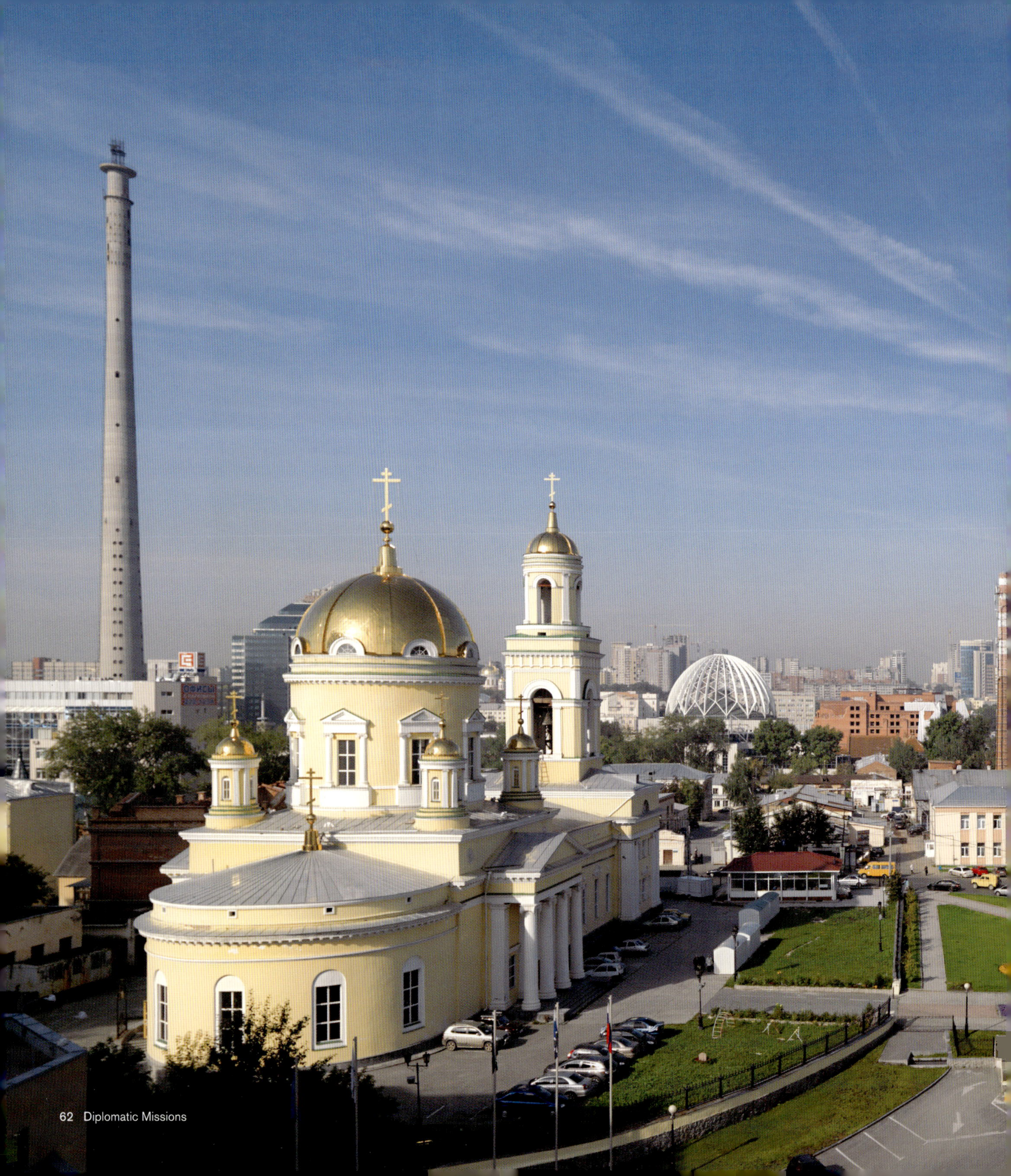

SVX

JEKATERINBURG DIE STADT ÖSTLICH DES URALS SPIEGELT DAS NEUE RUSSLAND: SOWJET-ERBE, NEUE KIRCHEN UND BÜROBAUTEN MIT GERINGEM ANSPRUCH AN ARCHITEKTUR.

YEKATERINBURG THE NEW RUSSIA EAST OF THE URALS: SOVIET HERITAGE, BRAND-NEW CHURCHES AND UNASSUMING OFFICE BUILDINGS.

Deutsches Generalkonsulat
German Consulate General
Jekaterinburg/Russische Föderation

Auslober
Bundesamt für Bauwesen und Raumordnung

Haustechnik
Happold Ingenieure GmbH

Freiraumplanung
Levin Monsigny Landschaftsarchitekten GmbH

Projektadresse
ul. Rabotschego Bolschakowa, Jekaterinburg

Wettbewerb
2009

Die viertgrößte Stadt Russlands, gelegen am Ural, ist ein bedeutender Industrie- und Universitätsstandort und erlangte traurige Berühmtheit, als hier 1918 die Zarenfamilie ermordet wurde. Inzwischen hat Jekaterinburg, das bis 1991 Swerdlowsk hieß, im Hinblick auf Wirtschaftsleistung und Einwohnerzahl zu den großen Agglomerationen des Landes um Moskau und Sankt Petersburg aufgeschlossen. Nahezu alle großen westlichen Staaten haben in Jekaterinburg Generalkonsulate eröffnet. Der Neubau des deutschen Generalkonsulats, fertiggestellt 2005, verbindet zeitgemäße Architektur mit der landestypischen modularen Bauweise bei gleichzeitiger Berücksichtigung ökologischer, wirtschaftlicher und sicherheitstechnischer Vorgaben. Die funktionale Trennung von Visa-Bereich und Kanzlei gab auch das interne Gestaltungs- und Strukturierungsprinzip des modernen Baukörpers vor. Während sich die Bereiche mit Publikumsverkehr im Erdgeschoss befinden, sind die ersten beiden Obergeschosse dem internen Kanzleibetrieb vorbehalten. Die Räumlichkeiten mit höchster Sicherheitsstufe beherbergt das zweite Obergeschoss. Ein eigens entwickeltes Nachhaltigkeitskonzept sorgt für beträchtliche Energieeinsparung und CO_2-Reduzierung.

Most of the major Western countries have opened missions in Yekaterinburg, Russia's fourth city and a major centre of industry and learning. The new German consulate-general completed in 2005 blends contemporary architecture with typically Russian modular elements. The internal design and structure reflect the building's functional organization, with the visa centre on the ground floor and internal chancellery functions on the upper floors. Maximum security areas are at the top. A customised sustainability concept ensures considerable energy savings and CO_2 reductions.

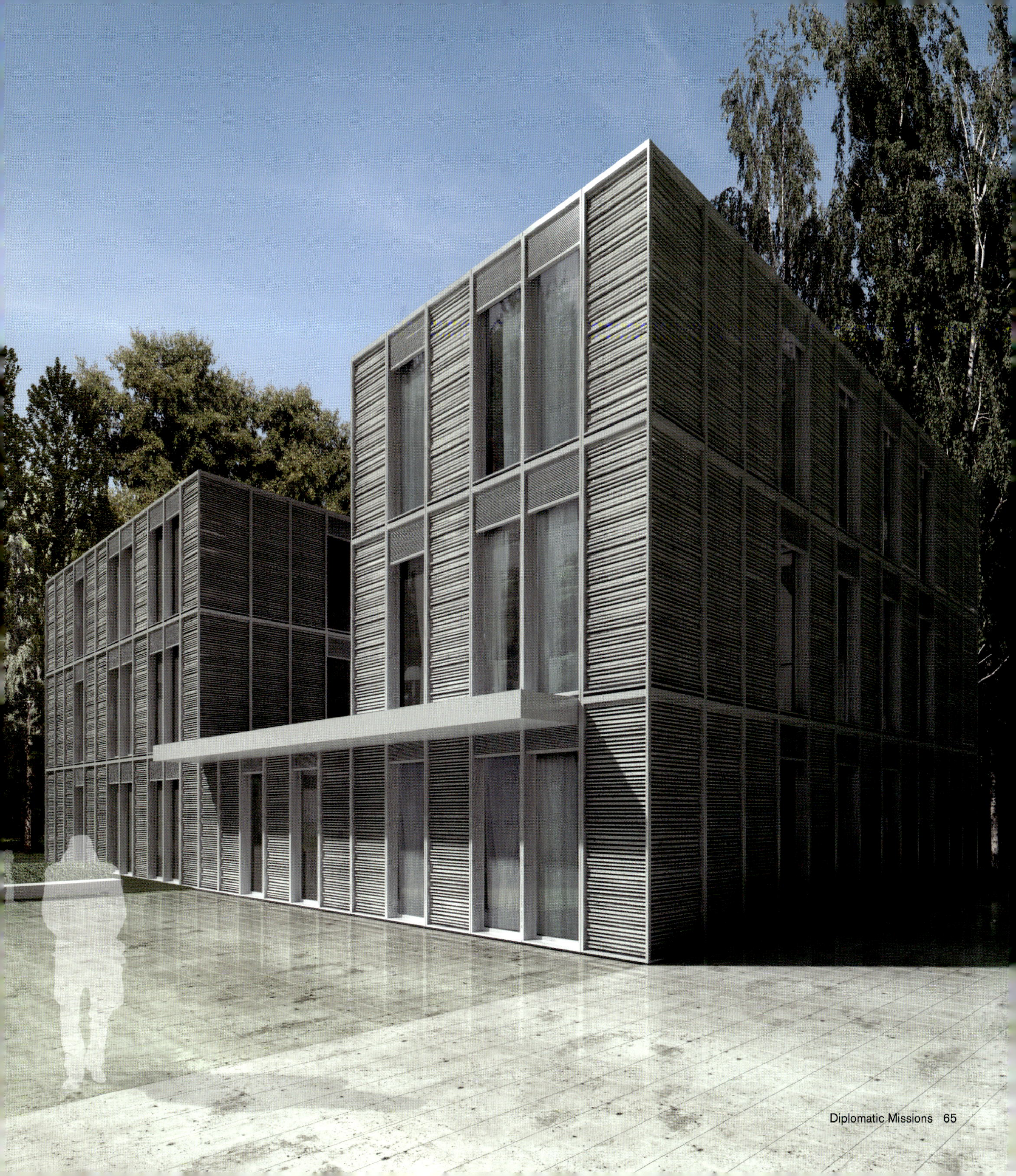

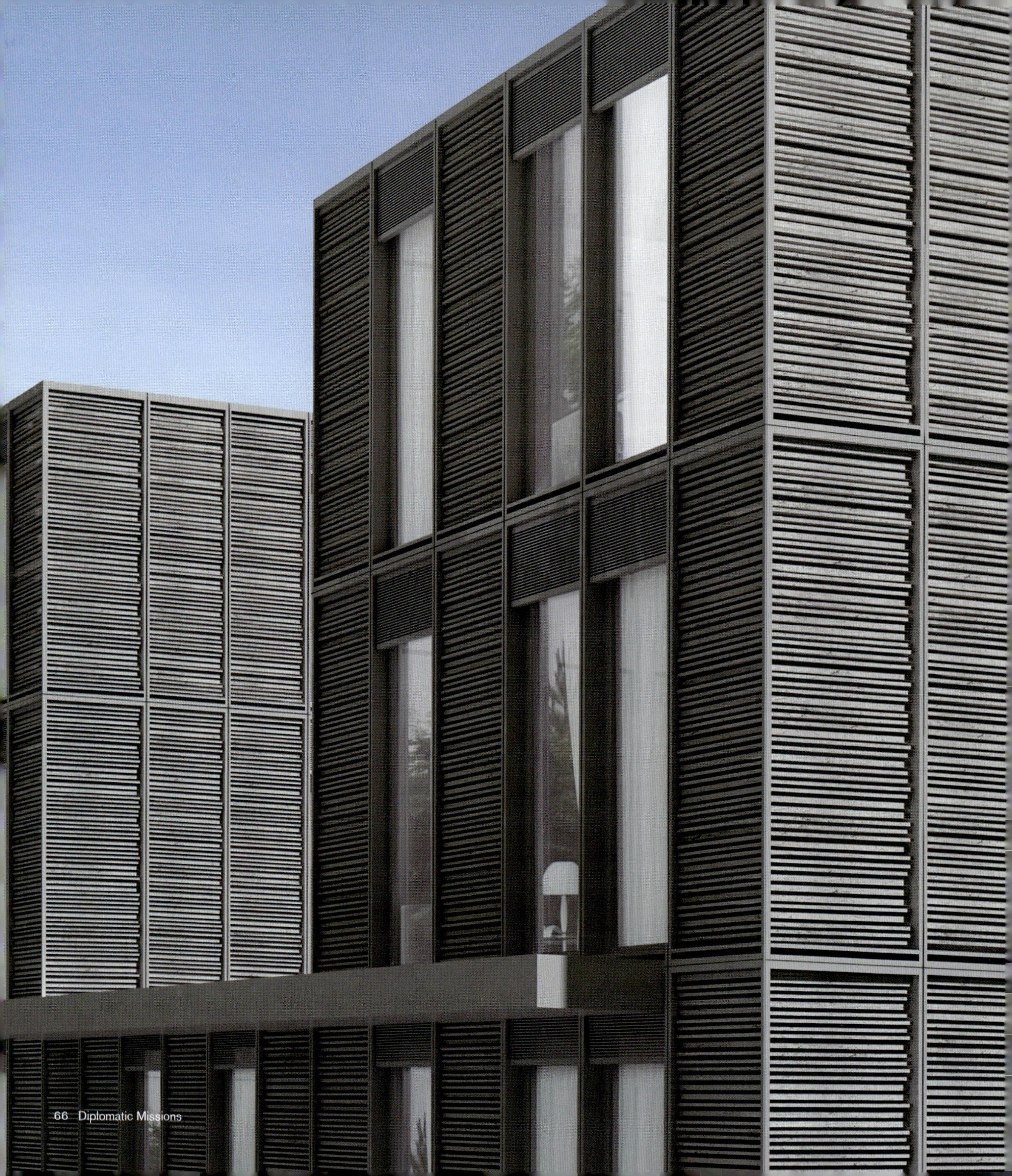

Diplomatic Missions 67

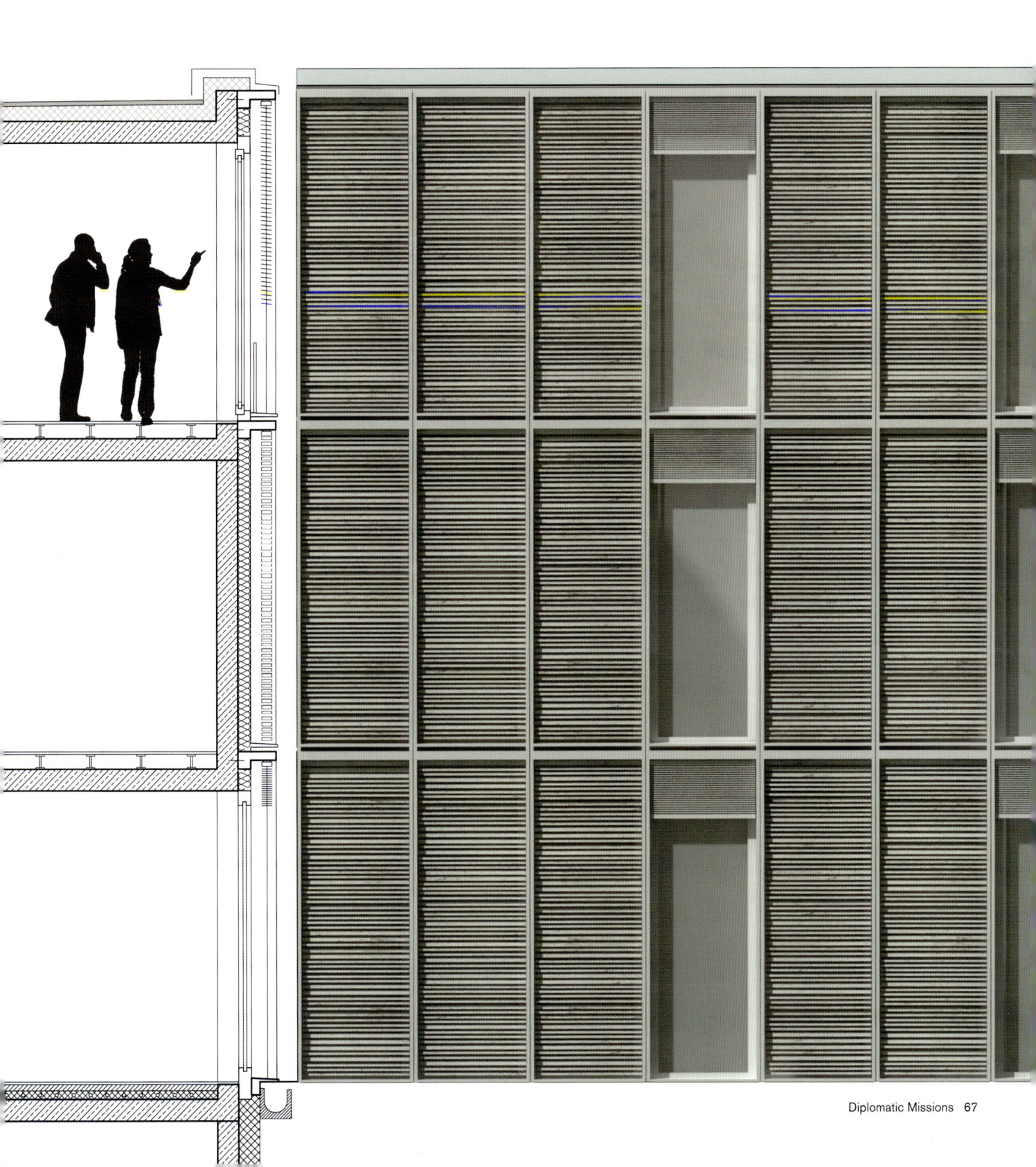

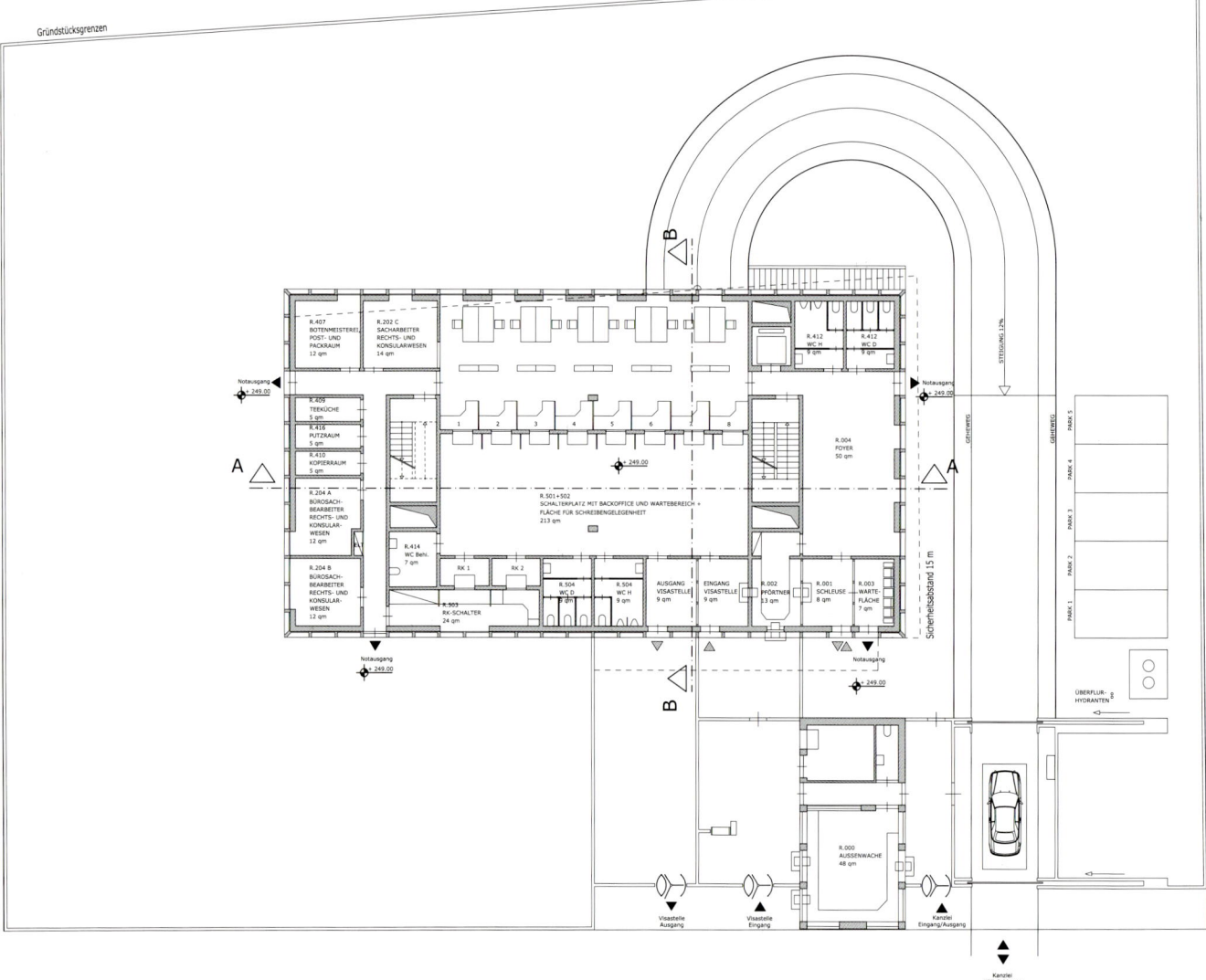

Erdgeschoss
Ground floor

Diplomatic Missions 69

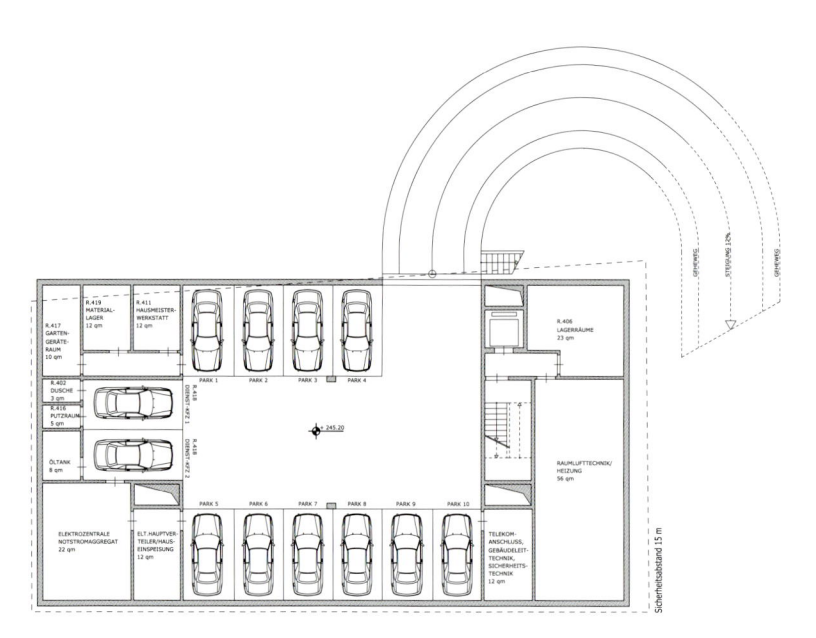

Kellergeschoss
Basement

1. Obergeschoss
First floor

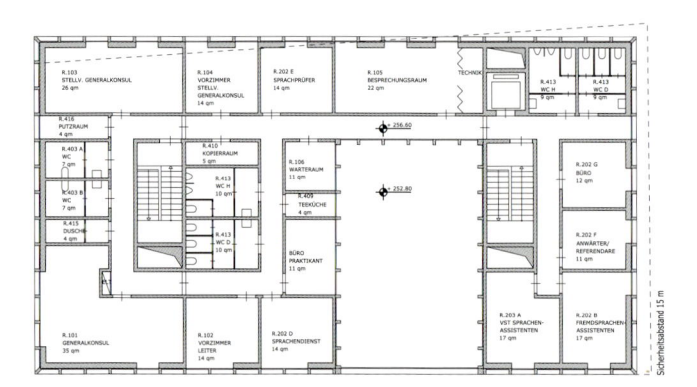

2. Obergeschoss
Second floor

70 Diplomatic Missions

Diplomatic Missions 71

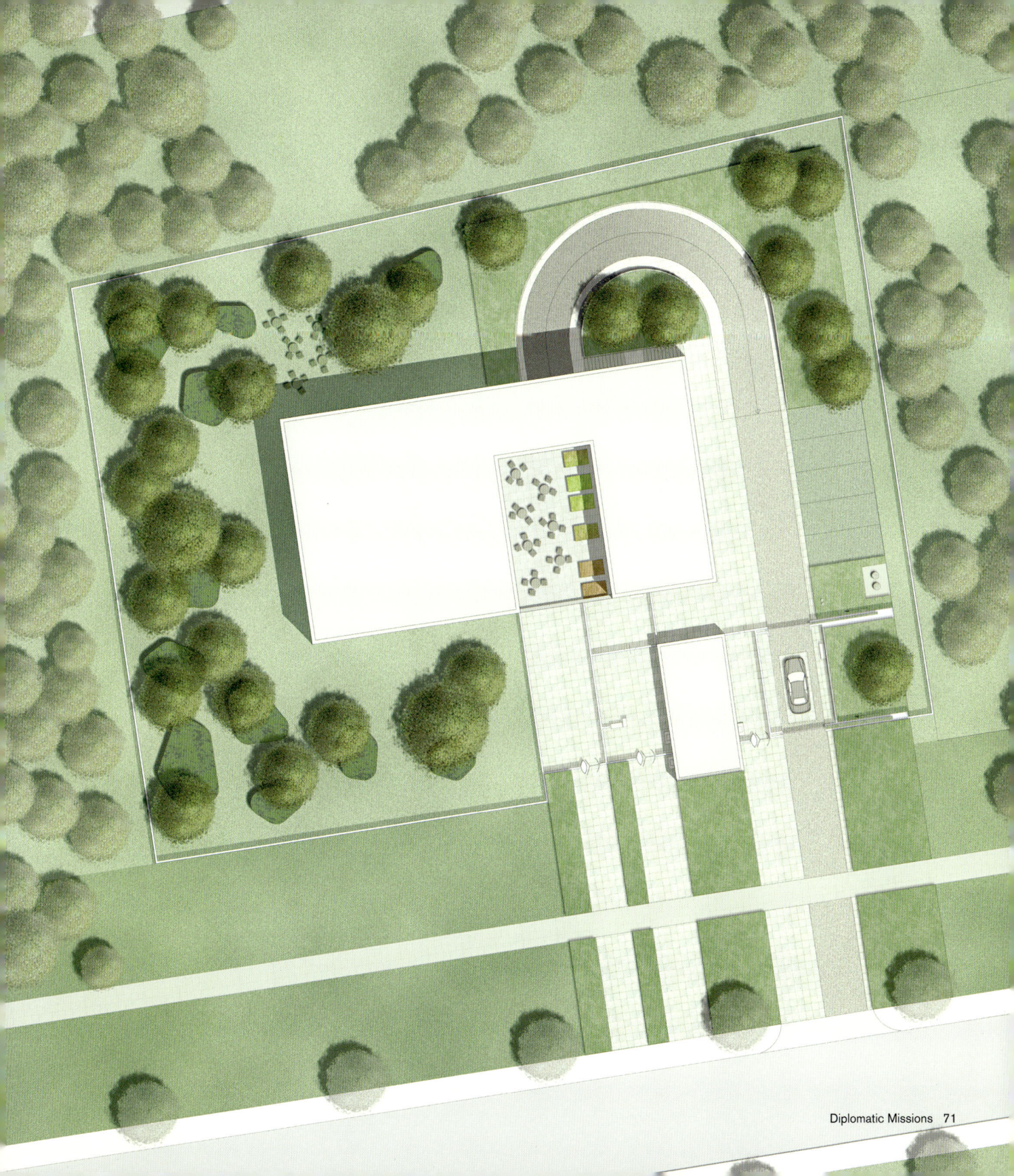

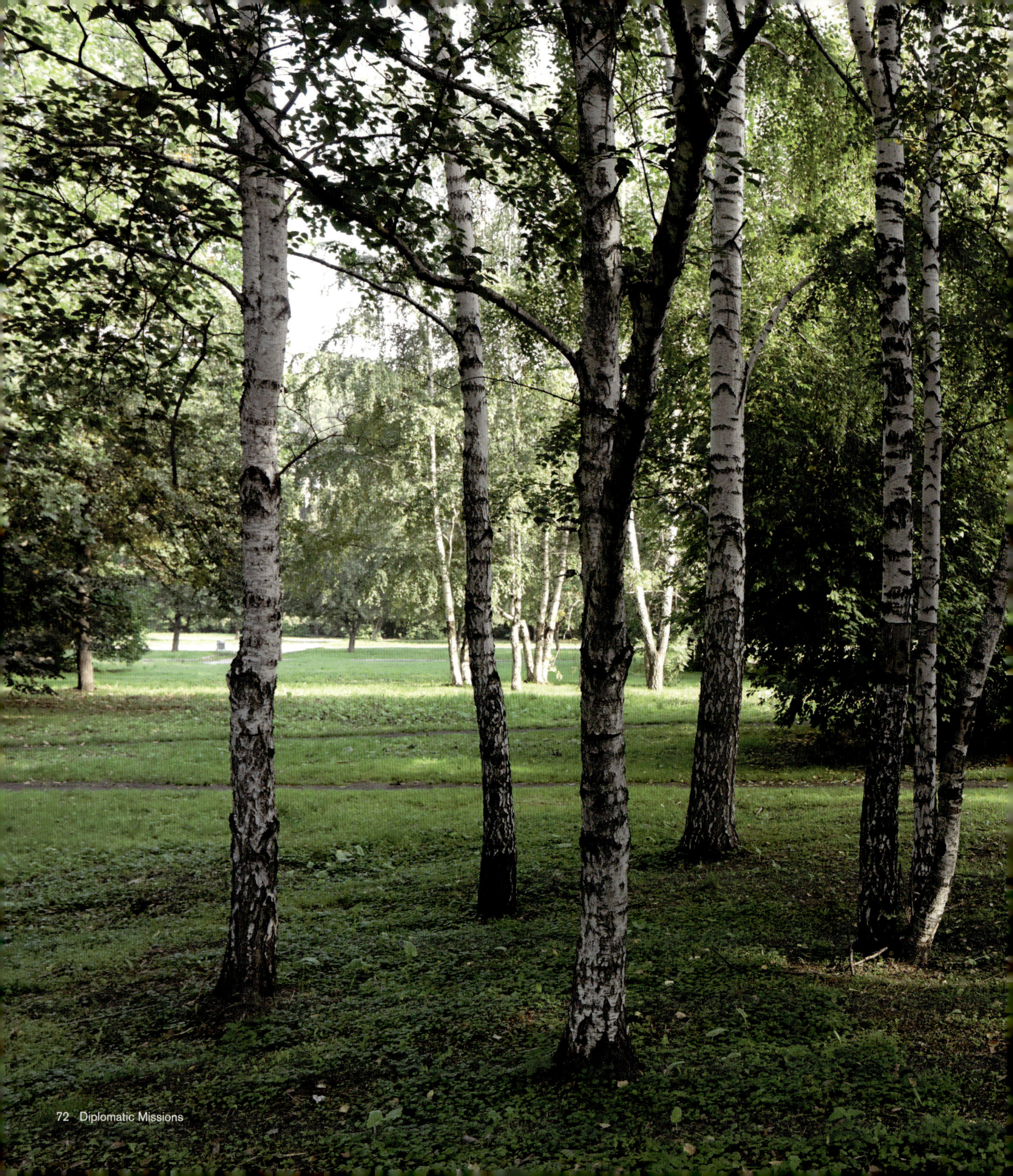

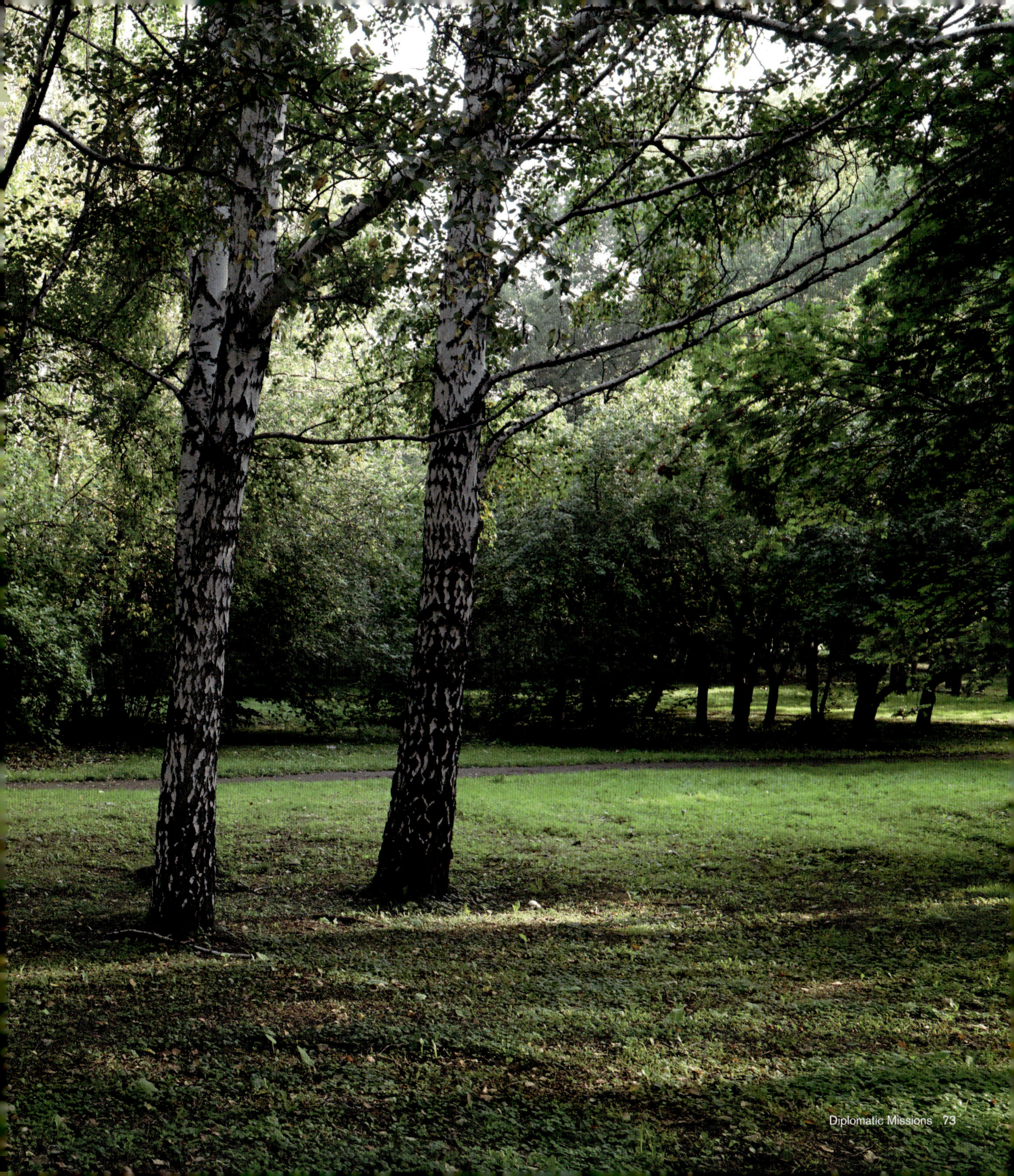

Die Residenz des Botschafters
Privacy and Diplomacy

Fried Nielsen

Italienische Botschaft und Residenz in Berlin, Festsaal
Architekt: Friedrich Hetzelt, 1942,
Umbau: Vittorio de Feo und
Stephan Y. Dietrich, 2003

Italian Embassy and Residence in Berlin, Function Room
Architect: Friedrich Hetzelt, 1942,
Reconstruction: Vittorio de Feo and
Stephan Y. Dietrich, 2003

Nachdem ich die Diplomatenschule – damals noch recht bescheiden in Bonn-Ippendorf gelegen, heute unter dem Namen *Akademie Auswärtiger Dienst* sehr vornehm in der Villa Borsig in Berlin-Tegel untergebracht – absolviert hatte, versetzte mich das Personalreferat des Auswärtigen Amts an unsere Botschaft in Santiago de Chile. Dort war ich, wie die jüngsten Kollegen eigentlich immer, auch für das »Protokoll« zuständig. Eine meiner ersten Aufgaben war, einen Empfang für deutsche Bundestagsabgeordnete in der Residenz des deutschen Botschafters in der calle Errázurriz vorzubereiten. Ich teilte dem Botschafter mit, dass er zwanzig Gäste, darunter acht Abgeordnete, zu erwarten habe; unglücklicherweise hatte ich aber vergessen, dass die Abgeordneten ihrerseits noch rund einhundert Parlamentarier anderer Länder eingeladen hatten, die sich – wie auch die deutschen Abgeordneten – in Santiago aufhielten, um an einer Konferenz der Interparlamentarischen Union teilzunehmen. Als der Botschafter und ich in der Eingangshalle der Residenz am Abend die ersten Gäste begrüßten, wurde nicht nur ihm schnell klar, dass wir mit knapp zweihundert und nicht mit rund zwanzig Gästen zu rechnen hatten. Er sah mich etwas fragend an und – wie ich fand – vorwurfsvoll. Deshalb versicherte ich ihm, dass er sich bitte keine Sorgen machen solle und wir den Empfang schon meistern würden. Dann ging ich in einen kleinen Nebensalon und rief alle Mitarbeiter der Botschaft an, darunter den Gesandten, den stellvertretenden Botschafter also, und bat sie, wenn möglich schwarz-weiß gekleidet, in die Residenz zu kommen, um mir beim Servieren zu helfen, sowie vorher bitte noch entsprechende Mengen an Bier, Wein und Whisky zu kaufen. – Auch noch zwanzig Jahre später finde ich: Dies war tatsächlich einer der lustigsten Empfänge, an denen ich in einer deutschen Residenz teilnehmen durfte.

My first posting was in Santiago de Chile. Today the grandly named Foreign Service Academy is grandly housed in Villa Borsig in Berlin-Tegel, but I had completed my training at what was simply called the Diplomat's School, or Ippendorf, after the Bonn suburb in which it was located. Fresh from school, as it were, I was given the traditional beginner's job and made responsible for matters of protocol. One of my first assignments was to organize a reception for German members of parliament in the German ambassador's residence on calle Errázurriz. I told the ambassador to expect twenty guests, including eight MPs. Unfortunately I forgot that the members would, in turn, invite around one hundred members of parliament from other countries who, like themselves, were attending an Inter-Parliamentary Union conference in Santiago. So there we were in the residence's hall – the ambassador and I – welcoming the first guests, when he realized – and I did too – that the steady influx would amount to far more than twenty. Two hundred was a more likely figure. He lifted an inquiring and – I thought – critical eyebrow at me. What could I say but not to worry and all would be well? Discreetly turning into the small drawing-room I rang up all the embassy staff, including the envoy (who comes right after the ambassador in rank), and asked them to dash over to the residence to help me serve drinks – preferably dressed in black and white and stopping on the way to buy all the beer, wine and whisky they could carry. Twenty years on I look back on that reception as one of the most amusing functions I ever attended in a German residence.
My little mishap aptly highlights the most important quality of an ambassadorial residence. It must be big. It must be big enough to accommodate any number of guests all the year round. If it is surrounded by a large garden or park, all the better, for then

Diplomatic Missions 75

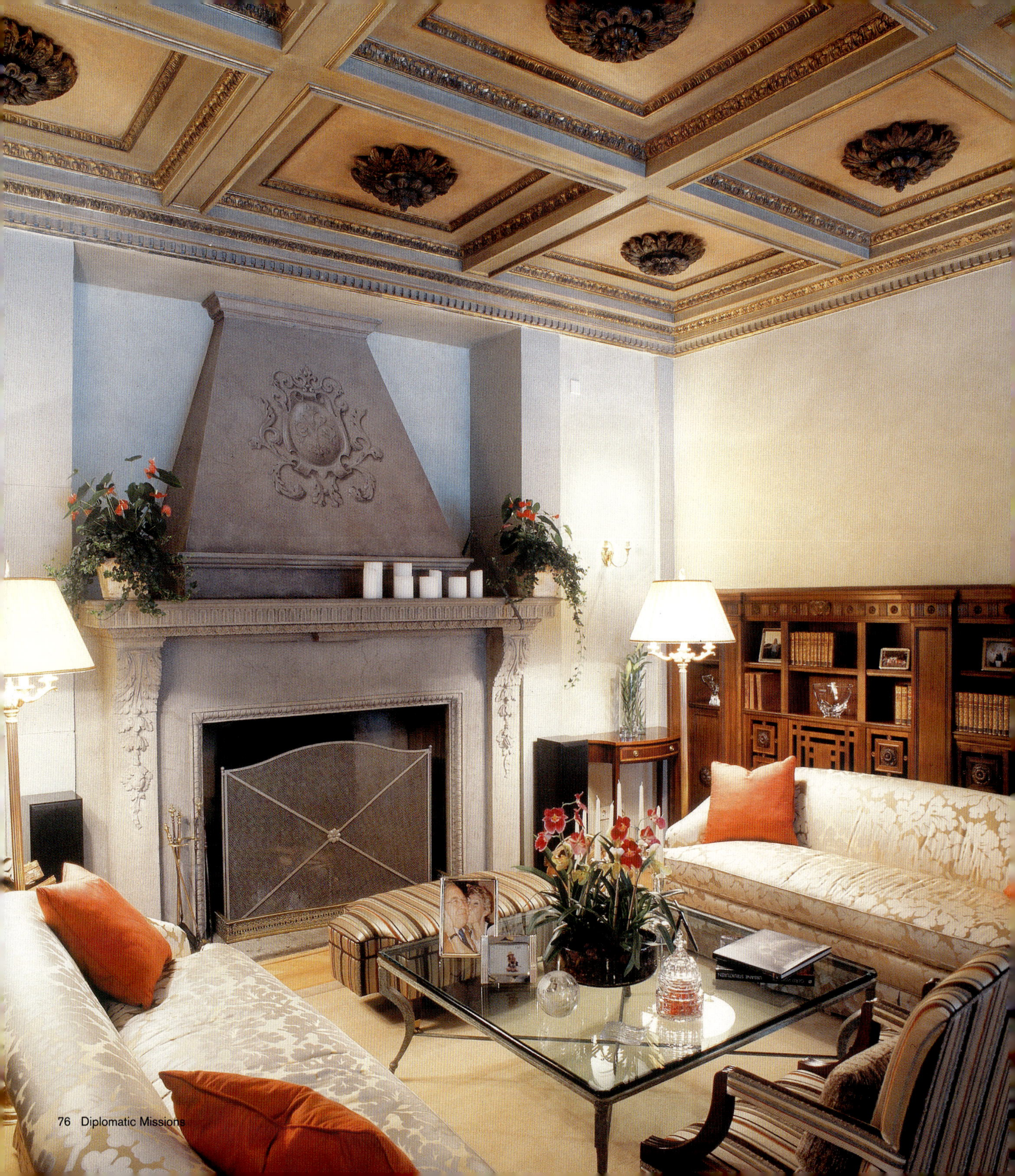

Residenz des US-amerikanischen
Botschafters in Berlin, Kaminzimmer,
Erweiterung und Innenarchitektur:
Heiko Vahjen und Graig Jackson Reid,
1997

*Residence of the Ambassador of the
United States of America, Fireplace,
Extension and interior design:
Heiko Vahjen and Graig Jackson Reid,
1997*

Wie dieses kleine Missgeschick zeigt, sollte die Residenz eines Botschafters also vor allem über eine Qualität verfügen: eine entsprechende Größe, um das ganze Jahr über viele Gäste bewirten zu können. Ist sie zusätzlich noch von einem schönen Garten oder Park umgeben – umso besser: Dort kann man Sommerfeste feiern oder auch, wenn das Wetter mitspielt, den 3. Oktober, der klimatisch leider so unentschlossen liegt!
Essen und Trinken für Deutschland – dafür ist die Residenz der wichtigste und vornehmste Ort. Ob der Botschafter nun ein Arbeitsfrühstück nutzt, um deutsche Journalisten in einem Hintergrundgespräch über die bilateralen Beziehungen zu informieren, ein Mittagessen für den Außenminister des Gastlandes gibt oder auch einen Abendempfang für Künstler und Schriftsteller – es geht nicht um Essen oder Trinken, sondern darum, deutsche diplomatische Interessen zu vertreten. Und das gelingt natürlich leichter in angenehmer und kultivierter Atmosphäre!
Die etwa 220 deutschen Residenzen von Accra bis Zagreb sind also nicht nur die Wohnhäuser der deutschen Botschafter. Diese erhalten nur einen kleinen Bereich des Residenzgebäudes zugewiesen, den sogenannten Privaten Teil. Weit größer ist der Amtliche Teil, der für die Repräsentation des Botschafters und seiner Botschaft im Gastland genutzt wird. Die privaten Gemächer der Residenz werden vom Botschafter und seiner Familie einzig und allein privat genutzt und auch jeweils selbst gestaltet, während die Einrichtung und Ausstattung der Repräsentationsräume dem Auswärtigen Amt, Referat *Bau- und Liegenschaftsverwaltung im Ausland* unterliegt.
Man sollte die Bedeutung der Innenausstattung genauso wenig unterschätzen wie das architektonische Äußere unserer Residenzen und Kanzleien. Das Wort Kanzlei bezeichnet übrigens das Gebäude, in dem der Botschafter und seine Mitarbeiter

*events can spill over from the house into the grounds. Depending on the climate it is even possible to plan garden parties, though it must be said that in terms of the weather Germany's national holiday on October 3 is less than ideal in most climate zones. Eating and drinking for Germany: the residence is the foremost venue for this worthy task. Whether the ambassador gives German journalists the background on bilateral relations over the coffee at a working breakfast, invites the foreign minister of his host country to lunch or wines and dines artists and writers at an evening function, the aim is not actually eating or drinking. The aim is to represent Germany's interests. And that is easier and better done in a pleasant, cultivated atmosphere.
So if Germany maintains around 220 residences from Accra to Zagreb, it is not simply to give German ambassadors a place to reside. Only a small part of a residence is used for private living. Far more extensive than the private apartments are the formal rooms used for representing the diplomatic mission in the host country. The residence's private apartments are the reserve of the ambassador and his or her family, who also furnish and decorate them, while the furnishings and appointments of the formal rooms are the responsibility of the Federal Foreign Office, Department of Real Estate Management of Missions and Posts Abroad.
The character and appearance of our residences and chanceries is more important than one might think. (Chancery, by the way, refers to what is popularly known as the embassy, i. e. the office building in which the ambassador and his or her staff work. In many cases the consular department is housed in a separate building, too). For tens of thousands of people these buildings are the only piece of Germany they will ever see. Their architecture and interiors convey an abiding image of our country.*

Botschaft und Residenz der
Schweizer Eidgenossenschaft
in Berlin, Kaminzimmer
Architekt: Friedrich Hitzig, 1870,
Umbau und Erweiterung:
Diener + Diener, 1999

*Embassy and Residence of the Swiss
Ambassador, Fireplace
Architect: Friedrich Hitzig, 1870
Reconstruction and extension:
Diener + Diener, 1999*

arbeiten, landläufig auch Botschaft genannt. Interieur und Exterieur einer Residenz, einer Kanzlei und in manchen Ländern auch der Visastelle, die oft getrennt von diesen beiden Gebäuden untergebracht ist, sind für Aberzehntausende von Menschen das einzige Stück »Deutschland«, das sie je in ihrem Leben zu sehen bekommen. Diese Gebäude vermitteln innen und außen ein stets präsentes Bild unseres Landes. Das Auswärtige Amt gibt sich deshalb sehr viel Mühe, diese Gebäude und ihre Inneneinrichtung entsprechend anspruchsvoll zu gestalten.
In der Regel sind die Gäste in der Residenz eines deutschen Botschafters geladene Gäste. Das muss aber nicht immer der Fall sein. Hin und wieder betreten auch Besucher eine Residenz, die weder eingeladen noch angekündigt sind, dafür aber sehr lange bleiben wollen. So geschah es im Jahr 1980 in La Paz: Nachdem sich General Garcia Meza an die Macht geputscht hatte, suchten viele Bolivianer Schutz in den Botschaften und Residenzen, auch in der deutschen Residenz. Botschafter Johannes von Vacano, für seine aufrechte demokratische Haltung bekannt, lud die Verfolgten zu bleiben ein und hat sich damit bis heute große Anerkennung in Bolivien erworben.
Ob diplomatischen Missionen das Recht zusteht, politisch Verfolgten in ihren Räumlichkeiten Asyl – das sogenannte diplomatische Asyl – zu gewähren, beurteilen Völkerrechtler unterschiedlich. Damit würde unmittelbar in die Souveränität des Empfangsstaates, also in diesem Fall Boliviens, eingegriffen. Deshalb wird ein Asylrecht der Mission grundsätzlich nicht anerkannt. Allerdings hätten die bolivianischen Behörden auch nicht in die Residenz des Entsendestaates eindringen dürfen, da Residenzen, wie alle Räumlichkeiten einer Mission, unverletzlich sind. Vertreter des Empfangsstaates dürfen sie nur mit Zustimmung des Missionschefs betreten. Auch die Fälle

*The Foreign Office therefore invests much effort in maintaining these buildings to a suitable standard.
As a rule German ambassadors invite their guests according to a carefully compiled list. However, that is not always the case. Now and then the residence may host guests who were neither invited nor expected but intend to stay for a longish spell. After General Garcia Meza's revolt in La Paz in 1980, for instance, many Bolivians sought sanctuary in foreign embassies and residences, including the German residence. A staunch supporter of democracy, Ambassador Johannes von Vacano allowed the refugees to stay. The Bolivians still remember and honour him for it.
Whether diplomatic missions have the right to grant what is generally known as diplomatic asylum is something of a vexed question in international law. Doing so means impinging on the sovereignty of the host country, in this case Bolivia, and for this reason there is no formally recognized right. However, the Bolivian authorities would not have been permitted to enter the ambassador's residence, either, since residences share the inviolable status of all a mission's premises, which representatives of the host country cannot enter without the consent of the mission's head. Ultimately questions of diplomatic asylum therefore require political solutions.
That is what happened in La Paz, where thanks to the efforts of international organizations the ambassador's unexpected guests were permitted to leave and go into exile. Today some of them are back in Bolivia holding important government offices.
Refuge rather than asylum was the objective of several thousand East Germans who in late summer and autumn of 1989 flocked to Prague's Palais Lobkowicz. The baroque walls of this elegant town house enclosed both the German embassy and*

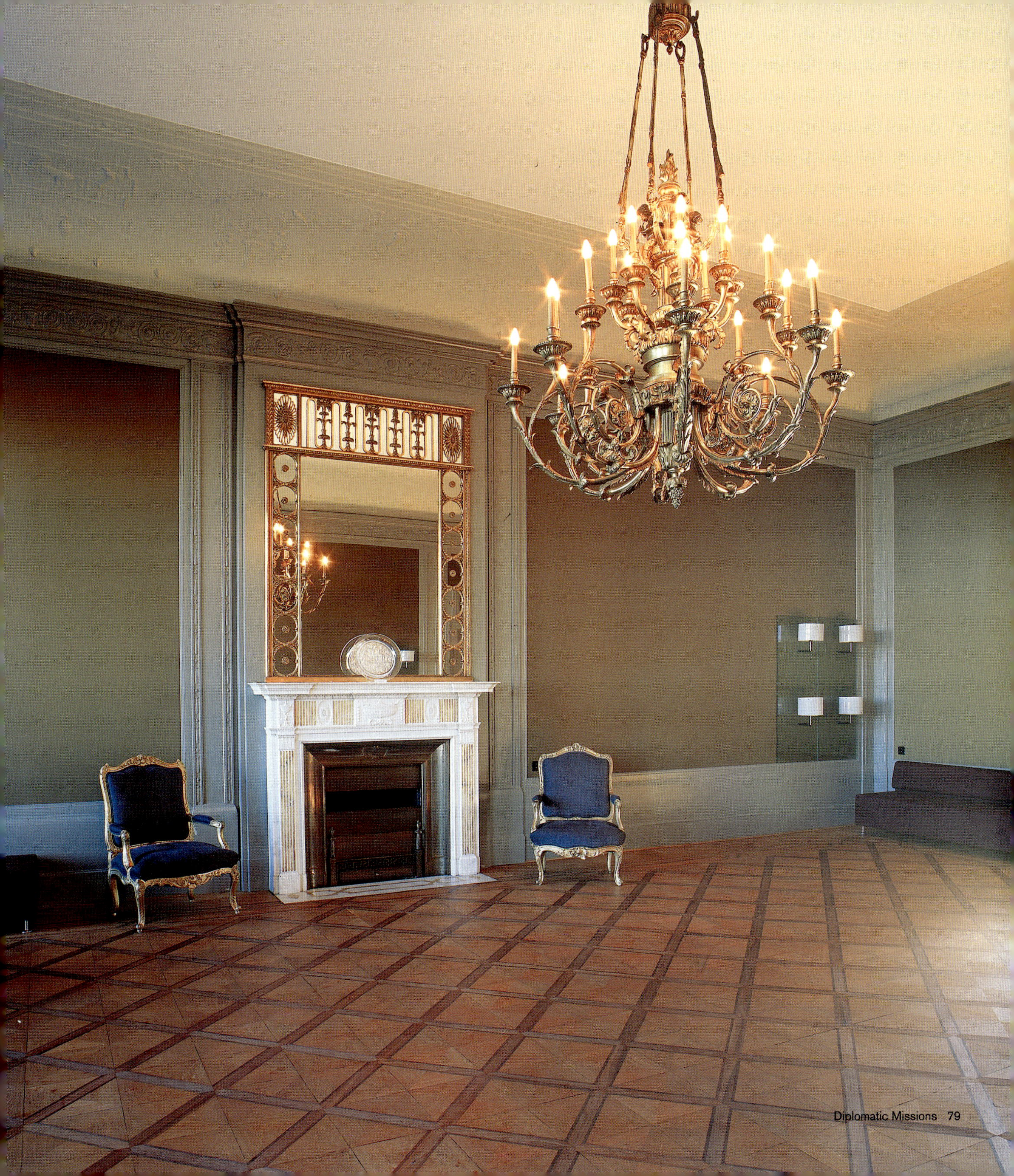

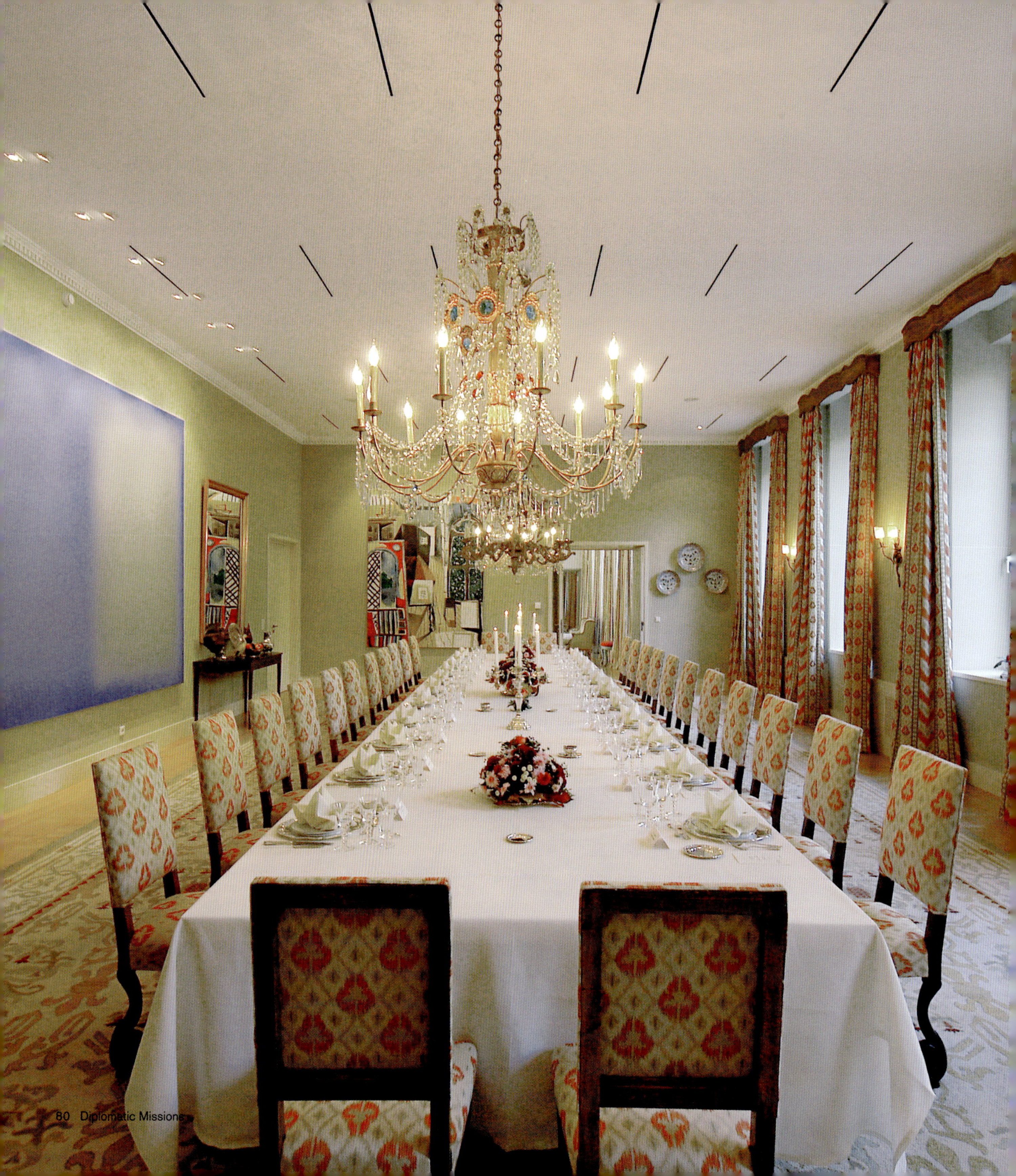

Spanische Botschaft und Residenz in Berlin,
Speisesaal
Architekt: Walter und Johannes Krüger
mit Pedro Muguruza Otaño, 1938
Umbau und Sanierung: Jesûs Velasco Ruiz
und José Luis Iñiguez de Onzoño, 2002

Embassy and Residence of the Spanish
Ambassador in Berlin, Dining Room
Architects: Walter and Johannes Krüger
with Pedro Muguruza Otaño, 1938
Reconstruction: Jesûs Velasco Ruiz and
José Luis Iñiguez de Onzoño, 2002

des diplomatischen Asyls müssen deshalb letztlich politisch geregelt werden.
Wie in La Paz: Den »Gästen« des Botschafters wurde durch die Vermittlung internationaler Organisationen der Weg ins Exil eröffnet. Heute bekleiden einige von ihnen wichtige Staatsämter in Bolivien.
Nicht Asyl, sondern Zuflucht suchten im Spätsommer und Herbst des Jahres 1989 einige Tausend Menschen aus der DDR im Palais Lobkowicz in Prag, dessen barocke Mauern sowohl die Deutsche Botschaft als auch die Residenz beherbergen. Im Februar 1989 überwanden die ersten Flüchtlinge die hinteren Zäune, um auf das Botschaftsgelände zu gelangen. Das eigentliche Drama begann Mitte August 1989, als der Flüchtlingsansturm Tag für Tag rapide anstieg. Ende September 1989 kampierten dann fast 4000 DDR-Flüchtlinge im Palais Lobkowicz und in den Zelten, die im Park aufgestellt worden waren. Der Botschafter und sein Team aller Kollegen und Ehepartner hatten nun täglich einige Tausend Menschen zu verköstigen; keine alltägliche Aufgabe, auch nicht für einen Botschafter. Das war mit Bordmitteln nicht mehr zu bewältigen. Täglich fuhr der Botschaftsbus nach Furth im Wald, wo vor allem Gemüse, Unmengen von Bananen und Schulhefte eingekauft wurden.
Auf dem Gelände der Botschaft und der Residenz befand sich nämlich auch eine Schule, untergebracht in einem Zelt, in der pünktlich am 1. September 1989 die Erstklässler »eingeschult« wurden. Unterricht erteilten als Lehrerinnen ausgebildete Ehefrauen der Botschaftsangehörigen.
Das Palais Lobkowicz, dieses wunderschöne Barockpalais, erbaut in den Jahren um 1702, seit 1753 Prager Stammsitz der böhmischen Adelsfamilie Lobkowicz, stand nun über Monate im Mittelpunkt des politischen Weltgeschehens. Fieberhaft

the residence. The first to scale the back fences entered the embassy grounds in February 1989, but the real drama began in mid-August, when increasing numbers of refugees arrived every day. By the end of September 1989 almost four thousand East German refugees were camping out in Palais Lobkowicz and in tents erected in its grounds. The ambassador and his team – all the staff and their spouses – had some several thousand people to feed and look after. This was an unusual challenge even for an ambassador.
The stores soon ran out, so every day the embassy's van travelled to Furth im Wald to buy vegetables, crateloads of bananas – and exercise books. A school was set up in one of the tents. Punctually on 1 September 1989 the first-formers lined up for their first day at school. Lessons were held by spouses of embassy staff who had trained as teachers before going abroad. For months Palais Lobkowicz, a stunning baroque town house built around 1702 and the home of the Bohemian noble family of Lobkowicz since 1753, was the focus of world politics. Diplomats worked feverishly to resolve the refugee crisis. Finally, on 30 September 1989, German Foreign Minister Hans-Dietrich Genscher walked past the bunk beds crowding the embassy's domed hall, stepped onto the balcony and said: "We have come to you to tell you that today your departure has become possible." I can still hear the mad cheering of the four thousand people gathered there. A few weeks later the Berlin Wall fell.
Not every residence is the same, of course, and not every German chief of mission has the good fortune to reside in a place like Palais Lobkowicz. In 1992, following my time in Santiago de Chile, I was sent to the German embassy in Tbilisi, where we all lived in a hotel. So soon after the collapse of the Soviet Union the Georgian capital naturally had no embassy or residence

Diplomatic Missions 81

82 Diplomatic Missions

Palais Lobkowicz in Prag/Tschechien,
Sitz der Deutschen Botschaft,
im Sommer 1989

*Palais Lobkowicz, Prague/Czech
Republic, German Embassy,
Summer 1989*

arbeiteten die Diplomaten an einer Lösung des Flüchtlingsdramas. Endlich, am 30. September 1989, betrat Außenminister Hans-Dietrich Genscher den mit Stockbetten vollgestellten Kuppelsaal des Palais, schritt von dort auf den Balkon und sprach: »Wir sind zu Ihnen gekommen, um Ihnen mitzuteilen, dass heute Ihre Ausreise möglich geworden ist.« Viertausend Menschen brachen in einen frenetischen Jubel aus, der mir noch heute in den Ohren klingt. Wenige Wochen später fiel die Mauer.
Natürlich ist Residenz nicht gleich Residenz, und nicht jeder deutsche Missionschef hat das Glück, in einem Palais Lobkowicz zu residieren. Als ich, nach meiner Verwendung in Santiago de Chile, im Jahr 1992 an unsere Botschaft in Tiflis versetzt wurde, wohnten wir zunächst alle in einem Hotel, dem Metechi Palace Hotel. Es gab nach Auflösung der Sowjetunion noch keine Botschaft oder Residenz in der georgischen Hauptstadt. Auch der Botschafter wohnte deshalb im Hotel, im Zimmer 203, in dem sich immerhin ein Bett und ein Schrank befanden, und an der Tür prangte das Schild »Residenz des Botschafters der Bundesrepublik Deutschland«. – Für Empfänge vielleicht etwas zu klein.
Eine Residenz ist eine Residenz – aber nur, wenn ein Botschafter sie sein Zuhause nennt. Übrigens kennt nicht einmal die neueste, 21. Auflage des Brockhaus das Wort in dieser Bedeutung. Danach wäre eine Residenz lediglich die Wohnstätte eines weltlichen oder geistlichen Fürsten.
Ein Generalkonsul hingegen mag in einem köstlichen Palais residieren, wie zum Beispiel unser Generalkonsul in Istanbul, aber seine Behausung heißt nicht Residenz, sondern »Leiterdienstwohnung«. Und ein Konsul oder ein Honorarkonsul – sie wohnen einfach irgendwo, in einer Wohnung oder in einem

buildings, so the Metechi Palace Hotel served as living quarters and chancery at once. Room 203 was the ambassador's residence. It had a bed and a wardrobe and a sign at the door: "Residence of the Ambassador of the Federal Republic of Germany". It was not ideal for receptions.
A residence is a residence – but only if an ambassador calls it home. Incidentally not even the most recent, 21st edition of the major German encyclopaedia recognizes this sense of the word. According to Brockhaus a residence is the home of a prince or cardinal. A consul-general, in turn, may reside in a marvellous town house, as does our consul-general in Istanbul, but that does not make his home a residence. It is simply called the consulate head's official dwelling. As for consuls and honorary consuls, they do not reside but simply live in flats or houses. The head of Germany's representation in Mazar-e-Sharif, a branch of the Kabul embassy in northern Afghanistan, hardly does even that. A combat housing unit is all that shelters him from the elements. A hotel room as residence has a certain cachet, but a residence resembling a hotel does not. That is perhaps the most important principle when it comes to furnishing a residence. No-one entering an ambassadorial residence wants to see an interior reminiscent of a hotel, not even a five-star-hotel, or of a private club, no matter how exclusive. They want to see surroundings which convey a sense of the representing country's culture or a tasteful interior reflecting the international relationships at work here. This is strikingly achieved in historical residences with original furnishings and decor. The German ambassador's residence in Paris is a prime example.
Built in 1713, the Palais Beauharnais derives its name from Napoleon Bonaparte's stepson Eugène de Beauharnais, who having bought the building in 1803 hired the foremost artists

Diplomatic Missions 83

Palais Beauharnais in Paris/Frankreich,
Architekt: Germain Boffrand, 1713,
heute: Residenz des Deutschen
Botschafters

*Palais Beauharnais, Paris/France,
Architect: Germain Boffrand, 1713,
Residence of the German
Ambassador*

Haus. Der Leiter unserer Vertretung in Masar-e-Scharif, einer Außenstelle der Botschaft Kabul im Norden Afghanistans, lebt zum Beispiel in einem Schlafcontainer. Das dürfte dann wohl nur noch Unterschlupf genannt werden.

Ein Hotelzimmer als Residenz kann Charakter haben, eine Residenz sollte jedoch nie den Charakter eines Hotels haben. Das ist vielleicht der wichtigste Grundsatz für die Inneneinrichtung einer Residenz. Wer eine Residenz betritt, will kein Hotelzimmer, auch nicht der Fünf-Sterne-Kategorie, geschweige denn einen Clubraum sehen, sondern er möchte durch die Innenausstattung atmosphärisch von der Kultur des Gastlandes eingefangen beziehungsweise von einer geschmackvollen Einrichtung, die das historische Zusammenspiel beider Länder bezeugt, bezaubert werden. Besonders elegant sind die Interieurs von Residenzen, deren Möbel und gesamte künstlerische Ausstattung historisch überdauert haben. Eines der weltweit schönsten und bedeutendsten Beispiele hierfür ist das Palais Beauharnais, die Residenz des deutschen Botschafters in Paris.

Dieses Gebäude, 1713 erbaut, erwarb im Jahr 1803 Eugène de Beauharnais, der Stiefsohn von Napoleon Bonaparte, und ließ es in den folgenden Jahren von den bedeutendsten Künstlern und Kunsthandwerkern im Stil des frühen Empire ausstatten. Nur wenig später, im Jahr 1818, verkaufte der mittlerweile als Herzog von Leuchtenberg im bayerischen Exil lebende Eugène das Anwesen samt Möblierung an den preußischen König Friedrich Wilhelm III. Zunächst war das hôtel, so nannte man früher die Stadtpaläste des Landadels, preußische Gesandtschaft. Seit 1968 beherbergt das Palais Beauharnais nun die Residenz des deutschen Botschafters.

In seiner Inneneinrichtung ist es einzigartig und ein erlesener Spiegel der deutsch-französischen Kunstbeziehungen des

and craftsmen of his age to create interiors in the early Empire style. By 1818 Eugène, exiled to Bavaria and styled Duke of Leuchtenberg, sold the property and all its furnishings to the Prussian King Frederick William III. Initially the hôtel, as the town houses of the French nobility were called, was used by the Prussian legation. Since 1968 Palais Beauharnais has housed the German ambassador's residence. Its elegant interiors uniquely reflect German-French relations in the art world of the early nineteenth century. The reception room or Green Salon carries the ambassador's guests back two hundred years to the First French Empire. An inventory list dating from 1817 shows that apart from two armchairs the room retains the complete original decor and furnishings.

The salon's Egyptian-style panelling superbly demonstrates the outstanding quality of French Empire craftsmanship. Today many visitors have the possibility of admiring the museum-worthy setting, but few will have the good fortune to be immortalized in the way that the guests of German ambassador Leopold von Hoesch were when a festive soirée inspired Max Beckmann to his "Paris Society" (1931). The famous painting today forms part of the collections in the New York Guggenheim Museum. Few buildings can rival the continuity embodied by the Palais Beauharnais, which has been in uninterrupted diplomatic service since 1818, first for Prussia and then for Germany.

Little is known about the history of embassies and residences as an architectural genre, and I am afraid there are no sources where one may read up on it. It probably begins in late-fifteenth-century Italy. Back then the Italian city states began to establish permanent missions, or perhaps we had better call them permanent legations. Probably the first-ever permanent legation was the one established by the Duke of Milan in the republic of

Diplomatic Missions 85

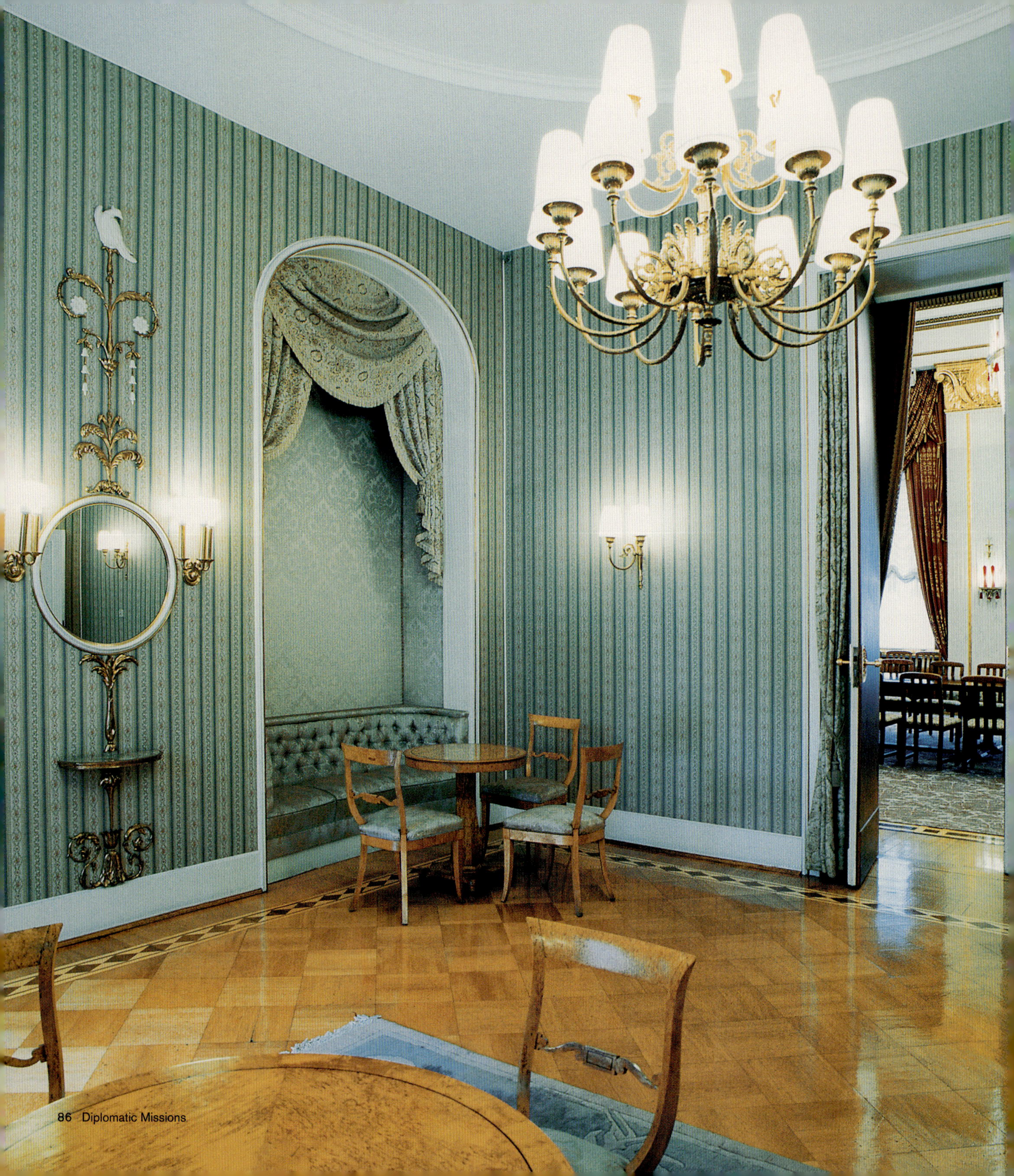

Botschaft der Russischen Föderation
in Berlin, Nebenraum des Bankettsaals
Architekt: A. J. Strischewski, 1951

*Embassy of the Russian Federation,
Service Room of the Function Room,
Architect: A. J. Strishevskiy, 1951*

frühen 19. Jahrhunderts. Wer als Gast des Botschafters den Empfangssalon, den Grünen Salon, betritt, fühlt sich um zweihundert Jahre, in die Zeit des Empire, zurückversetzt. Hier sind Dekoration und Möblierung jener Epoche fast vollständig erhalten (von zwei Fauteuils abgesehen), wie es das Inventar von 1817 bezeugt. Die Holztäfelung des Salons in ägyptisierendem Stil gehört zu den außergewöhnlichen Leistungen des Kunsthandwerks des französischen Empire. Viele Besucher können heute dieses museale Gesamtkunstwerk bestaunen, aber nicht jeder dürfte das Glück haben, so verewigt zu werden wie die Gäste des deutschen Botschafters Leopold von Hoesch, dessen festliche Soiree Max Beckmann zu seinem berühmten Gemälde *Gesellschaft Paris* (1931) inspirierte, das heute im Guggenheim-Museum in New York ausgestellt ist.
Das Palais Beauharnais, seit 1818 in »diplomatischen Diensten«, dürfte sicherlich eines der ältesten Gebäude der Welt sein, das bis heute ununterbrochen diplomatisch genutzt wird – erst als Gesandtschaft Preußens, dann als Botschaft des Deutschen Reichs und schließlich als Residenz der Bundesrepublik Deutschland.
Über die Architekturgeschichte der Botschaft und der Residenz als eigenständiger Bautypus ist leider wenig bekannt, und ich befürchte, man kann sie auch nirgendwo nachlesen. Sie beginnt wohl gegen Ende des 15. Jahrhunderts in Italien. In dieser Zeit errichteten die italienischen Stadtstaaten die ersten permanenten Missionen, oder sagen wir lieber Ständigen Gesandtschaften. Es war der Herzog von Mailand, der in der Republik Genua im Jahr 1455 die wahrscheinlich erste Ständige Gesandtschaft überhaupt erstellte. Zu dieser Zeit befanden sich selbstverständlich Residenz und Kanzlei unter einem Dach, unter dem nur der Botschafter und der eine oder andere Legationsrat ihre

*Genoa in 1455. At that time the residence and chancery were housed under one and the same roof, beneath which the ambassador and a secretary or two would write and read despatches. It was not until after the First World War that the principle of different buildings for different functions established itself, with residences becoming smaller and chanceries bigger, though some residences were large enough to continue accommodating both functions. Examples are Prague's Palais Lobkowicz and Germany's London representation on Belgrave Square.
Up until the early twentieth century it was rare for a building to be planned as an embassy or residence. Exceptions are to be found in Istanbul, where in the mid-nineteenth century Britain, Russia, France, and later Germany, too, erected impressively palatial embassies. These buildings were intended to express in architecture the significance that the great powers attached to bilateral relations with the Ottoman Empire.
Today "talking" architecture is back in fashion in most nations: Look how democratic we are (lots of glass!), how cosmopolitan we are (more glass!), and we embrace sustainability, too (nothing but glass!). As you can see I do not really understand architecture. In my view the same criteria apply to ambassadorial residences as to any other building. Either it is a sight for sore eyes or it is an eyesore.
Ambassadorial residences rarely become the scene of diplomatic asylum or mass defection. Everyday life is much less spectacular. Representation is our daily bread at the residence, and that means work, lots of work, and is not necessarily amusing either. When asked why he led such a reclusive life, holding no dinner parties or balls, Count Kaunitz, the Viennese envoy to Paris from 1750 to 1753, replied: "There are only two reasons for my being in Paris, to look after the Empress's affairs, which I do well, and*

Depeschen schrieben oder lasen. Eine Trennung der beiden Gebäude erfolgte eigentlich erst nach dem Ersten Weltkrieg, als die Residenzen kleiner und die Kanzleien größer wurden. Einige Residenzen allerdings waren groß genug, um weiterhin beide Funktionen gemeinsam zu beherbergen, wie das Palais Lobkowicz in Prag oder die deutsche Vertretung in London am Belgrave Square.

Der Neubau einer Botschaft oder einer Residenz eigens zu diesem Zweck war bis Anfang des 20. Jahrhunderts eher selten. Diese Ausnahmen kann man heute in Istanbul bewundern, wo Mitte des 19. Jahrhunderts England, Russland, Frankreich – und später auch das Deutsche Reich – eindrucksvolle Botschaftspaläste erbauen ließen. Mit den Bauten wollten diese Großmächte die Bedeutung, die sie den bilateralen Beziehungen zum Osmanischen Reichen beimaßen, auch architektonisch versinnbildlichen.

Der gewollte Fingerzeig durch diplomatische Architektur ist in heutiger Zeit bei allen Staaten wieder sehr beliebt: »Schaut her, diese Residenz zeigt, wie demokratisch wir sind (viel Glas!); und diese Kanzlei, die zeigt, wie weltoffen wir sind (noch mehr Glas!); oder – die Residenz als Energiesparhaus (nur noch Glas)!«

Wie Sie sehen, verstehe ich nicht viel von Architektur; für mich bleibt es dabei: Auch eine Residenz ist, wie jedes Gebäude der Welt, entweder schön oder hässlich.

Die Residenz als Schauplatz diplomatischen Asyls oder einer Massenflucht ist eher selten und natürlich nicht der Alltag eines Botschafters. Das tägliche Leben in der Residenz ist Repräsentation, und das ist Arbeit, viel Arbeit – und nicht immer amüsant. Schon Graf Kaunitz, der in den Jahren 1750 bis 1753 als Gesandter des Wiener Hofs in Paris diente, antwortete auf

for my own private amusement, which is my affair. Representation is a great bore." From Count Kaunitz's day to the Second World War, the dinner party, i. e. a proper sit-down meal, was diplomacy's foremost medium of representation. The guest list was exclusive and rarely extended beyond the diplomatic corps or government circles. Even in our present age of democracy it is a matter of course for ambassadors to invite fellow diplomats and government ministers to sit-down dinners, though nowadays ambassadorial residences more frequently host receptions. Diplomacy is no longer a matter of talks and negotiations between the ambassador and his staff and the host government, but also involves communication with the host country's journalists, scientists, entrepreneurs and artists. Receptions have therefore come to be an important medium of what one might call public diplomacy. As a modern form of representation this also solves a number of protocol issues, including the dread seating plan: everyone just stands or sits where they like.

Sit-down dinners still require seating plans, but today these are more often oriented on who really has something to say to each other and not determined by the dictates of protocol. Considering for how many centuries diplomats tore their hair about the problem of diplomatic rank it is astonishing how completely a thing of the past it is. Who is more important, the Pope or the Emperor, France or England? This question has been superseded by the principle of seniority, meaning that the head of mission who has been longest on a posting has precedence over those who arrived later. A problem that arises with every invitation but is most acute with receptions is the guest list. Who to invite? Who gets along with whom, who does not, who should perhaps meet whom ... and who had better not be in the same room together? Which journalist may be expected to write that we are a super

die Frage, warum er denn zurückgezogen wie ein Privatmann lebe und so gar keine Gastmahle und Bälle gebe: »Ich bin nur zweier Dinge wegen in Paris, für die Geschäfte der Kaiserin: Ich verrichte sie gut – und für mein Vergnügen: Darüber habe ich nur mich zu befragen. Das Repräsentieren würde mir Langeweile machen.«

Zu Zeiten Graf Kaunitz' und bis zum Zweiten Weltkrieg war das Dinner, also das gesetzte Abendessen, das wesentliche Repräsentationsmittel der Diplomatie. Man blieb unter sich, lud das Diplomatische Corps oder Mitglieder der Regierung ein. Auch heute noch, im Zeitalter der Demokratie, bitten Botschafter selbstverständlich ihre Kollegen und Minister zu gesetzten Abendessen, häufiger allerdings öffnen die Residenzen ihre Türen für Empfänge. Diplomatie besteht heute nicht mehr nur aus Gesprächen und Verhandlungen des Botschafters und seines Stabs mit der Gastregierung, sondern vor allem aus dem Kontakt mit Journalisten, Wissenschaftlern, Unternehmern und Künstlern des Gastlandes. Der Empfang ist somit zu einem wichtigen Mittel der »Öffentlichen Diplomatie« geworden. Als moderne Form der Repräsentation löst er zum Glück auch viele protokollarische Probleme, vor allem der Sitzordnung, ins Nichts auf: Alle stehen und sitzen, wo sie wollen.

Gesetzte Abendessen erfordern weiterhin eine Sitzordnung, aber heute wird sich häufiger danach gerichtet, wer wem wirklich etwas zu sagen hat, und nicht danach, wer protokollarisch höher steht. Gar keine Rolle mehr spielt das Problem der diplomatischen Rangfolge, eine über Jahrhunderte mit Hingabe geführte Auseinandersetzung von Völkerrechtlern und Diplomaten. Wer war wirklich wichtiger, der Papst, der Kaiser, Frankreich oder England? Diese Frage ist ein für allemal durch das Prinzip der Anciennität gelöst, das heißt der

country and which will only find fault with the canapés? Who do we have to invite to help the German bidder get the commission for the new airport? With so many questions it is perhaps no wonder that compiling guest lists is one of the least popular tasks in the ambassador's outer office.

And what makes a reception a success? Catering is a crucial factor, and catering depends on money, which in turn touches on another centuries-old problem of diplomacy: expenses. Even ambassadors of name and rank like Bismarck and Talleyrand regularly complained about their monarch's reluctance in financing their representative duties. Plus ça change, plus c'est la meme chose: there may be rules and regulations for all this today, with ambassadors receiving a fixed expense allowance, but naturally all ambassadors from all countries deplore its constraints. Fortunately there are sponsors, big companies happy to present their products in the ambassadorial residence.

For every ambassador there comes the day when His Excellency must leave the residence. Then it's time to pack one's bags, because heads of missions are not allowed to remain on one posting for more than three years. More would not be healthy, for like any other diplomat an ambassador might begin to feel too much at home and start representing the interests of the host country rather than those of his own. In rare cases ambassadors even have to leave early because they have been declared persona non grata or for some other reason have ceased to be welcome in the host country. In the normal course of events however an ambassador's mission ends because he is being transferred to another country or – a hard fate – because he is retiring. Long gone are the times when foreign services did not worry about age limits and sent someone like Talleyrand, at 76, to represent his country in London in 1830.

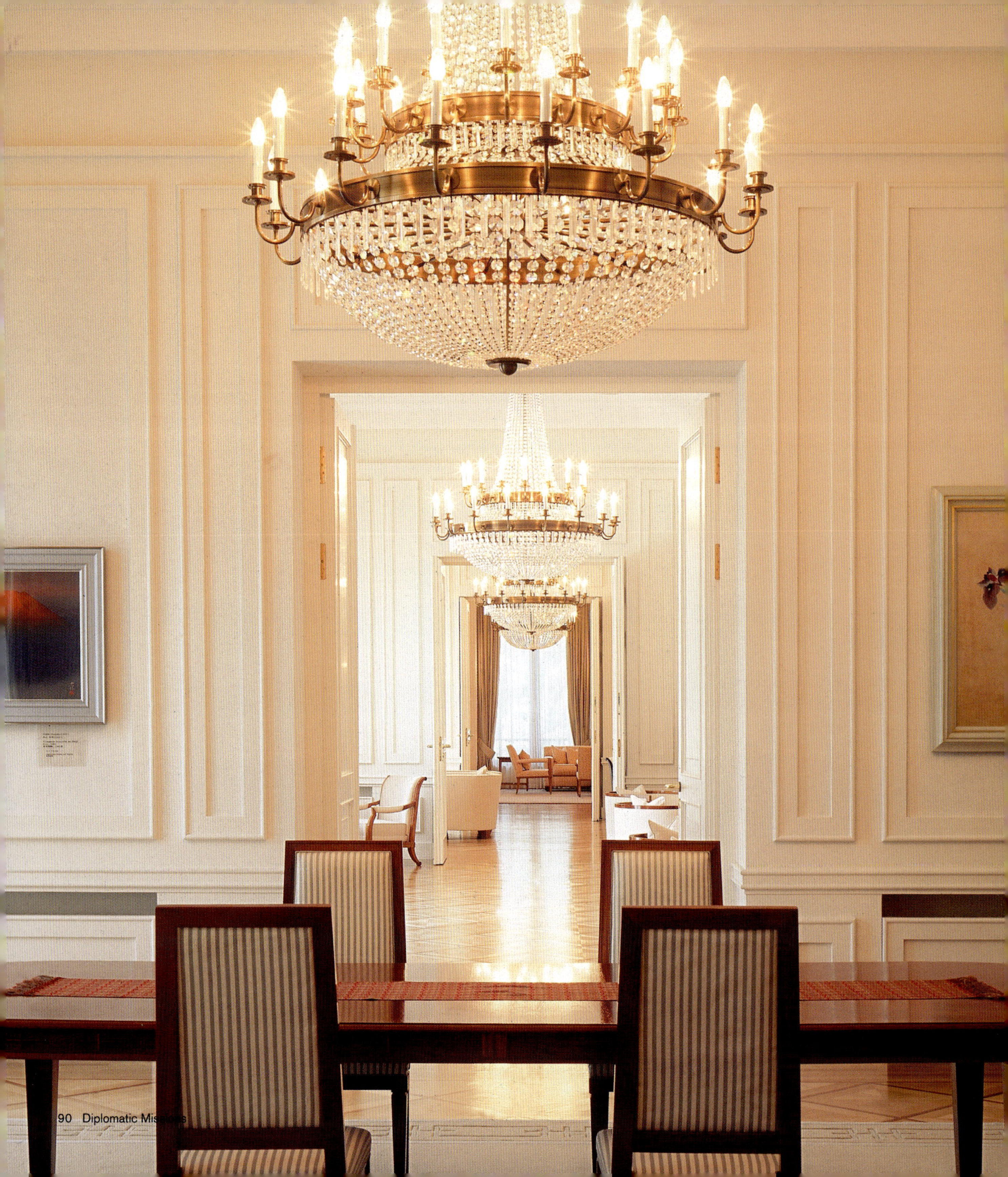

Japanische Botschaft und Residenz
in Berlin, Empfangsräume
Architekten: Ludwig Moshammer,
Cäsar Pinnau und Paul Eschert, 1942

*Embassy of the Japan Ambassador,
in Berlin, Reception Room
Architects: Ludwig Moshammer,
Cäsar Pinnau and Paul Eschert, 1942*

Seiten 92/93:
Französische Botschaft in Berlin,
Empfangssaal
Architekt: Christian de Portzamparc mit
Steffen Lehmann, 2002

*Pages 92/93:
Embassy and Residence of the French
Ambassador in Berlin, Reception Room
Architect: Christian de Portzamparc
with Steffen Lehmann, 2002*

Missionschef, der früher im Empfangsstaat sein Amt angetreten hat, steht im protokollarischen Rang vor dem zeitlich nachfolgenden Missionschef.
Empfänge rücken aber ein anderes Problem einer jeden Einladung stärker als bisher in den Vordergrund: die Gästeliste! Wer soll eingeladen werden? Wer kann mit wem, wer kann mit wem nicht, wer sollte mal mit wem sprechen … und wer sollte wem lieber nie begegnen? Welcher Journalist schreibt wirklich danach, dass wir ein tolles Land sind und welcher kritisiert nur wieder die Häppchen? Wer muss eingeladen werden, damit das deutsche Unternehmen endlich den Auftrag für den Bau des neuen Flughafens bekommt? – Fragen über Fragen, und so verwundert es nicht, dass es im Vorzimmer des Botschafters nicht immer zu den beliebtesten Aufgaben zählt, Gästelisten zu erstellen.
Wann ist ein Empfang nun erfolgreich? Das hängt natürlich davon ab, ob die Bewirtung gelungen war – die wiederum hängt vom Geld ab und berührt damit ein uraltes diplomatisches Problem: den Aufwand. Alle Botschafter, auch die von Rang und Namen wie Bismarck und Talleyrand, haben sich in regelmäßigen Abständen darüber beschwert, dass ihre Monarchen ihnen zu wenig Mittel für ihre repräsentativen Verpflichtungen zur Verfügung stellten. Das hat sich bis in unsere Zeit nicht geändert. Natürlich ist heute alles gesetzlich geregelt; der Botschafter erhält eine sogenannte Aufwandsentschädigung, und selbstverständlich glaubt jeder Botschafter eines jeden Landes, dass sie zu gering sei. Zum Glück gibt es Sponsoren – große Unternehmen, die gern einmal ihre Produkte auf einem Empfang zur Schau stellen.
Es kommt der Tag, an dem auch Seine Exzellenz, der Botschafter, die Residenz räumen muss. Dann heißt es Koffer packen, weil Missionschefs grundsätzlich nicht länger als drei Jahre auf einem Posten bleiben. Länger wäre nicht gut, denn Botschafter wie alle Diplomaten liefen dann wohl Gefahr, eher die Interessen des Gastlandes zu vertreten als die eigenen. Nur in seltenen Fällen müssen Botschafter das Land früher verlassen, weil sie zur persona non grata erklärt werden oder dem Gastland nicht mehr genehm sind.
Für gewöhnlich endet jedoch der Auftrag eines Botschafters, weil er in ein anderes Land versetzt oder – ein hartes Los – in den Ruhestand verabschiedet wird. Vorbei sind leider die Zeiten, als Altersgrenzen noch unbekannt waren und Talleyrand im Jahr 1830 mit 76 Jahren zum französischen Botschafter in London ernannt wurde.

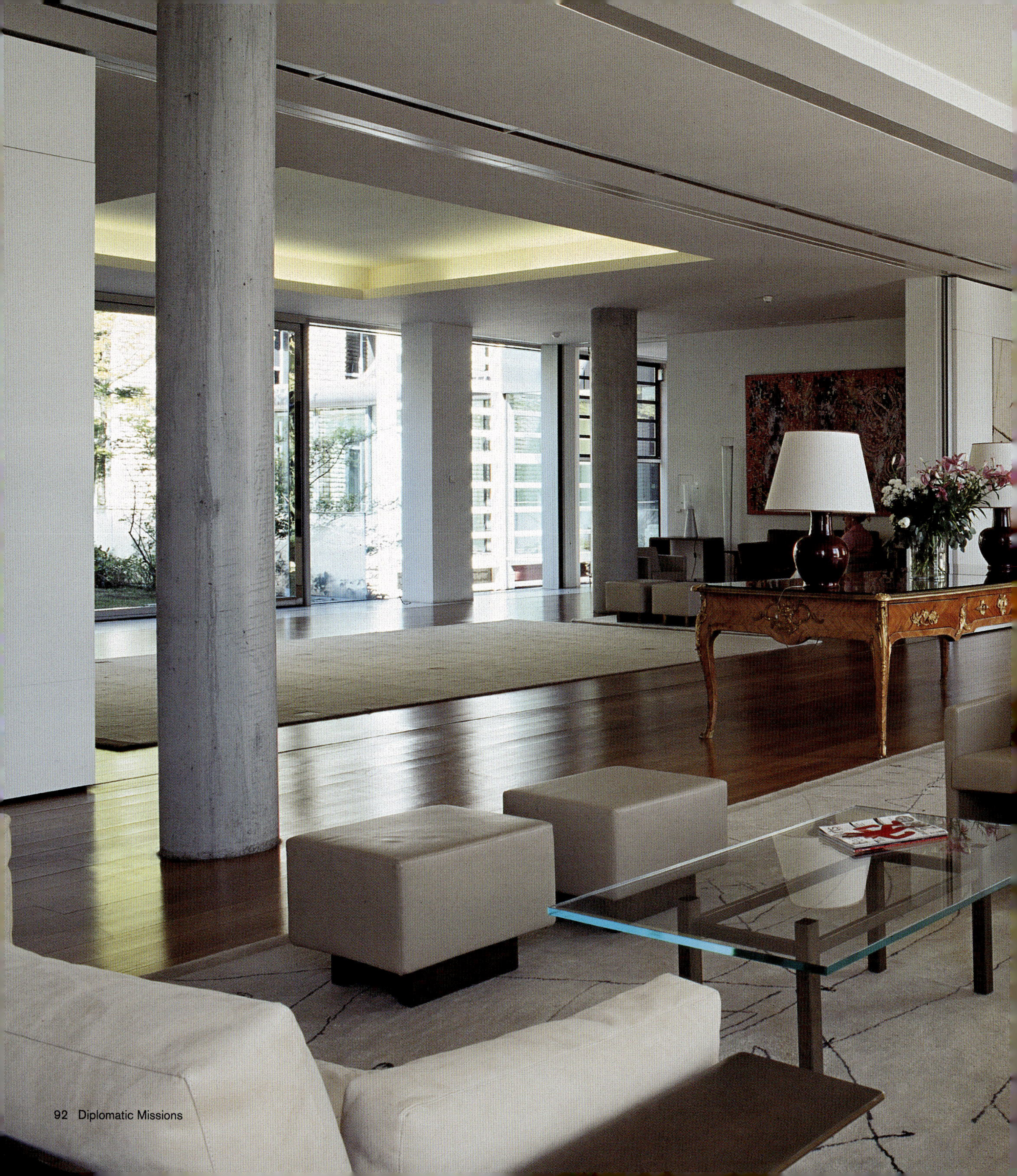

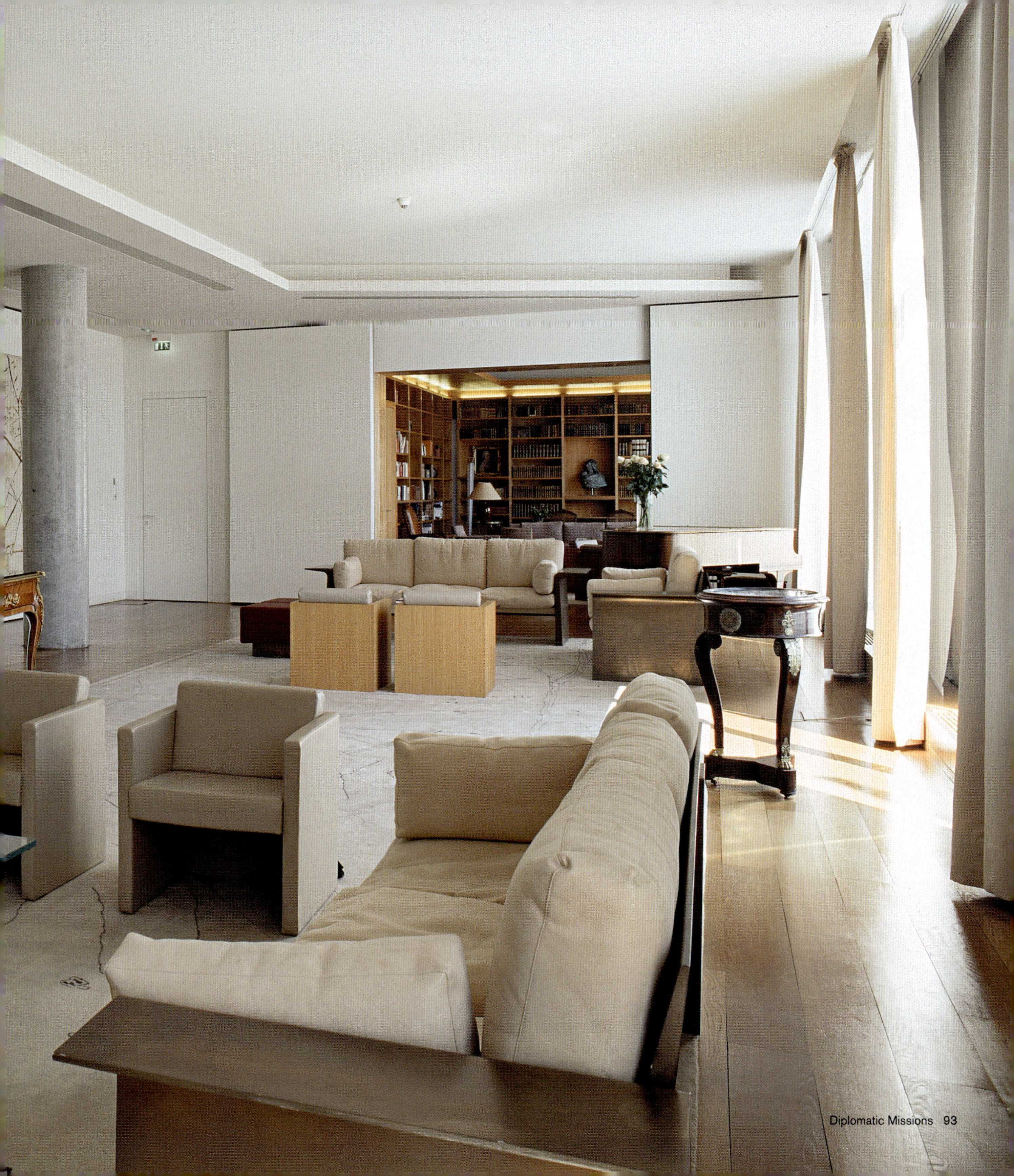

Ägyptische Residenz
Egypt Ambassador's Residence
Berlin

Auftraggeber
Botschaft der Arabischen Republik Ägypten

Generalplaner
Thomas Baumann,
Dipl.-Ing. Architekt

Projektadresse
Stauffenbergstraße 6
Berlin

Planungsgutachten
2009

Das Botschaftsgebäude Ägyptens gehört mit seiner rotbraun glänzenden, hieroglyphenverzierten Marmorfassade zu den dezenten Neubauten im Diplomatenquartier am Berliner Tiergarten. Dem modernen mehrgeschossigen Konsulargebäude sollte im Rahmen des Planungsgutachtens ein gläserner Dachaufbau hinzugefügt werden, der die weitläufige Residenz des Botschafters beherbergt und sowohl Repräsentationszwecke erfüllt wie auch als privates Refugium dient. Gemäß diesen Ansprüchen sind die Räumlichkeiten differenziert: Die Rückzugsbereiche für die Familie sind von den für protokollarische Empfänge, Diners und Veranstaltungen vorbehaltenen Flächen funktional und gestalterisch klar getrennt. So weit also nichts Besonderes. Doch eine raumkünstlerische Intervention sorgt dann doch für Aufsehen: Ein in schlichter Laubenästhetik gehaltener Wandelgang, der die gesamte Etage umgibt und einen erhabenen Rundblick über die ganze Stadt bietet, setzt dem Gebäude im Wortsinn eine Krone auf, die in den Abendstunden über dem schlafenden Quartier schimmert.

Its hieroglyphic façade of red-brown marble makes the Egyptian embassy a dignified member of the diplomatic quarter of Berlin-Tiergarten. The planning expertise suggests a glass extension on the roof to house a spacious residence for representational and private purposes. The function and design of the private areas for the ambassador's family clearly distinguish them from those for public receptions, dinners, and events. A simple pergola walkway offers fantastic views across the city, literally putting a crown on the building.

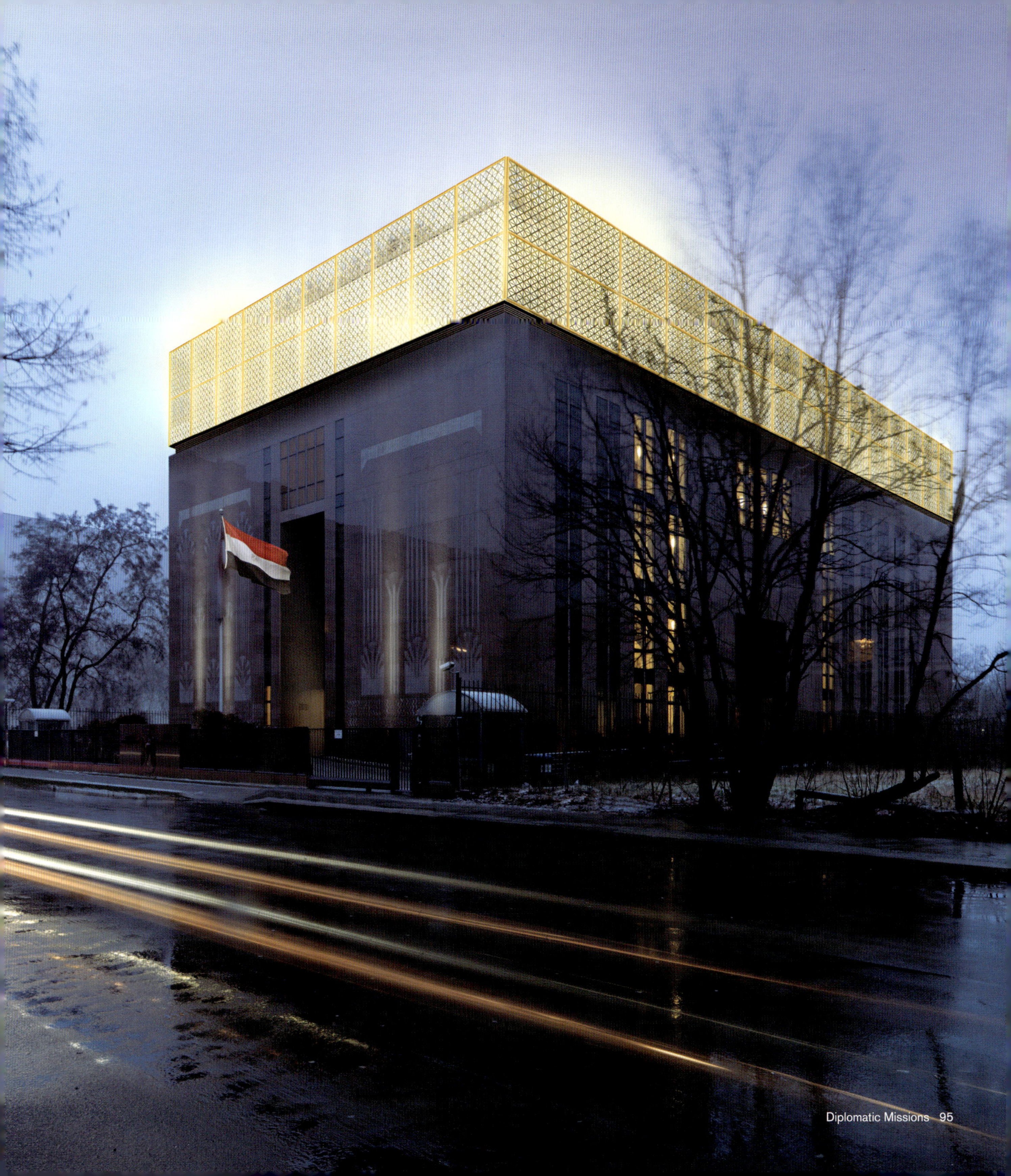

Blick in den umlaufenden Wandelgang
im Dachgeschoss (oben),
Ornamente für die Fassade (rechts)

*View into the pergola walkway (top),
façade ornaments (right)*

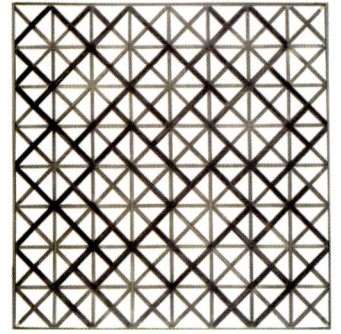

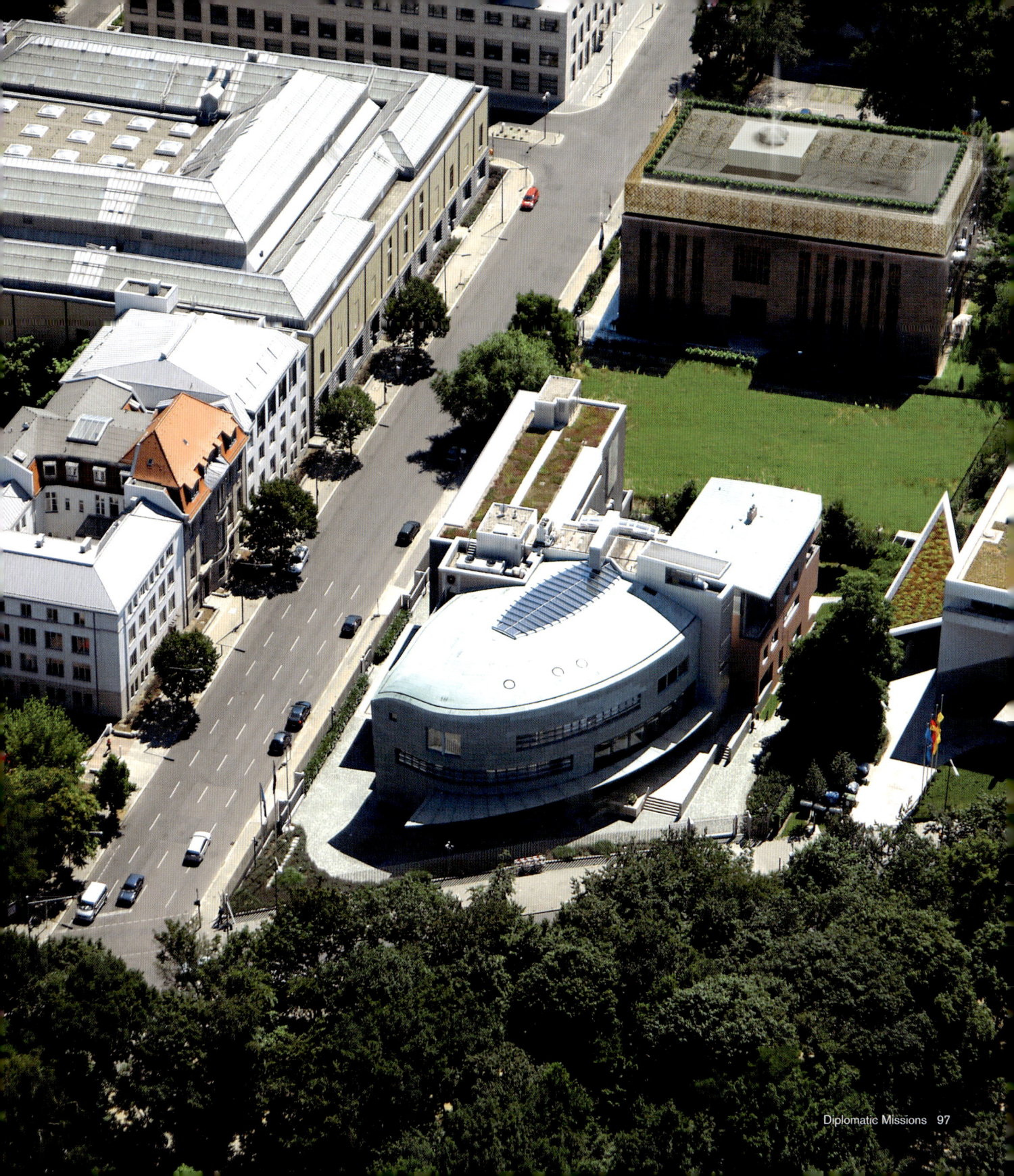

Diplomatic Missions 97

Straßenperspektive bei Nacht (oben),
Lichtkonzept (rechts)

Street view at night (top),
Light design (right)

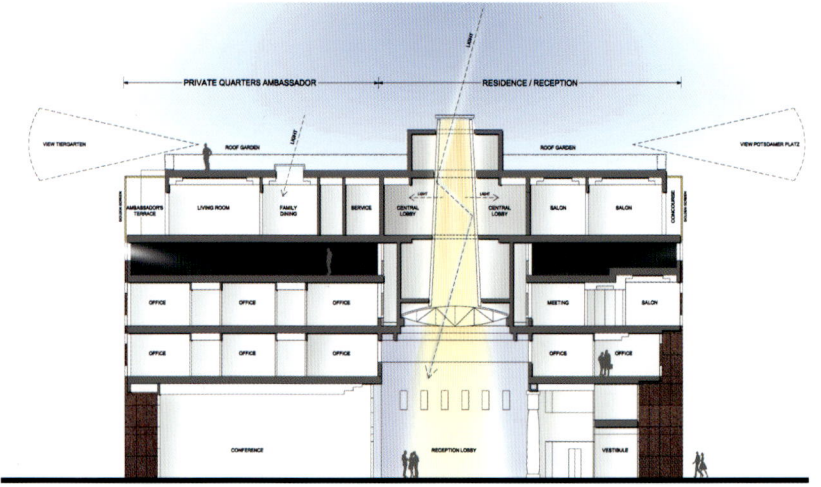

Grundriss Dachgeschoss
Floor plan, roof level

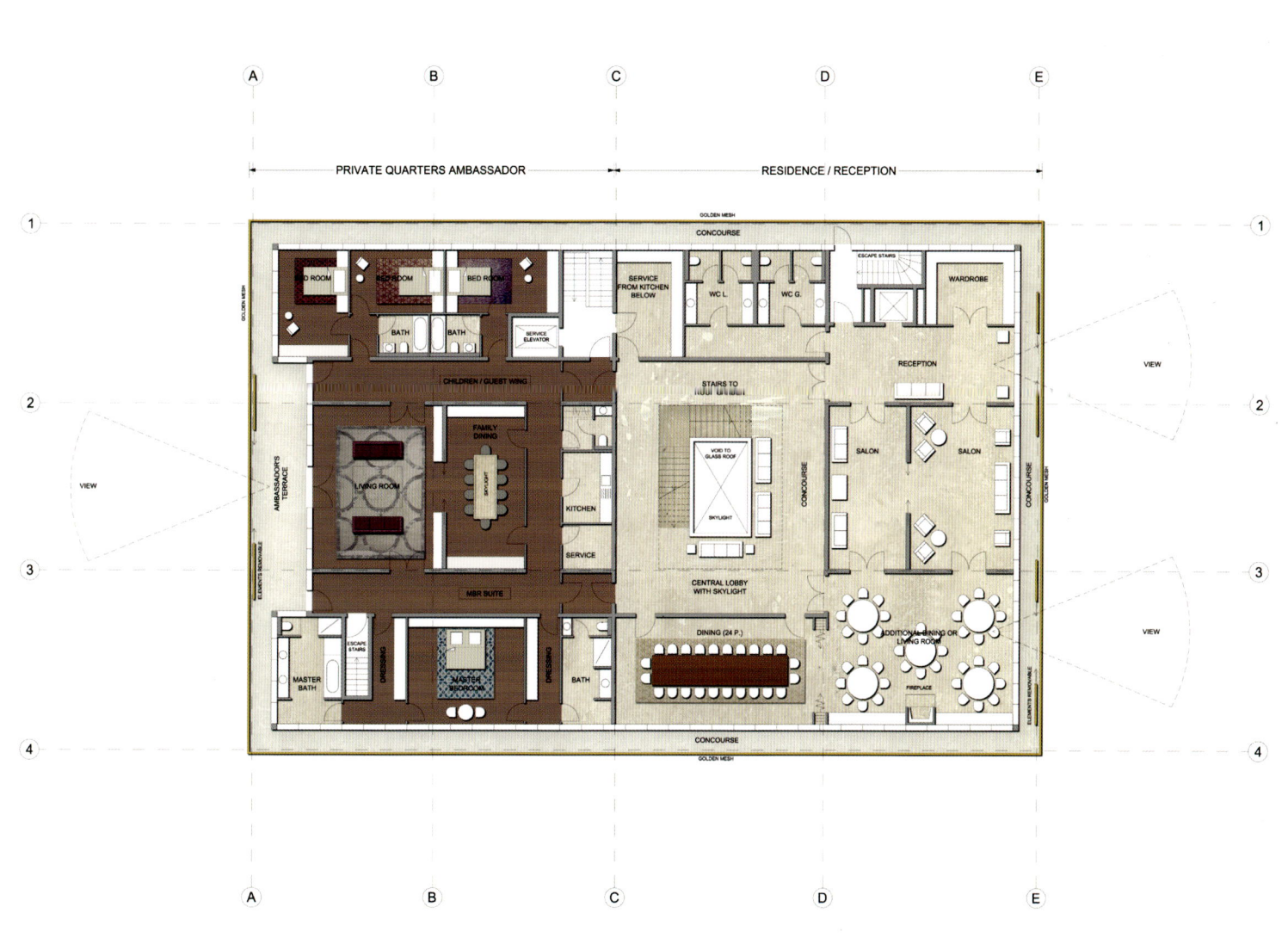

Diplomatic Missions 99

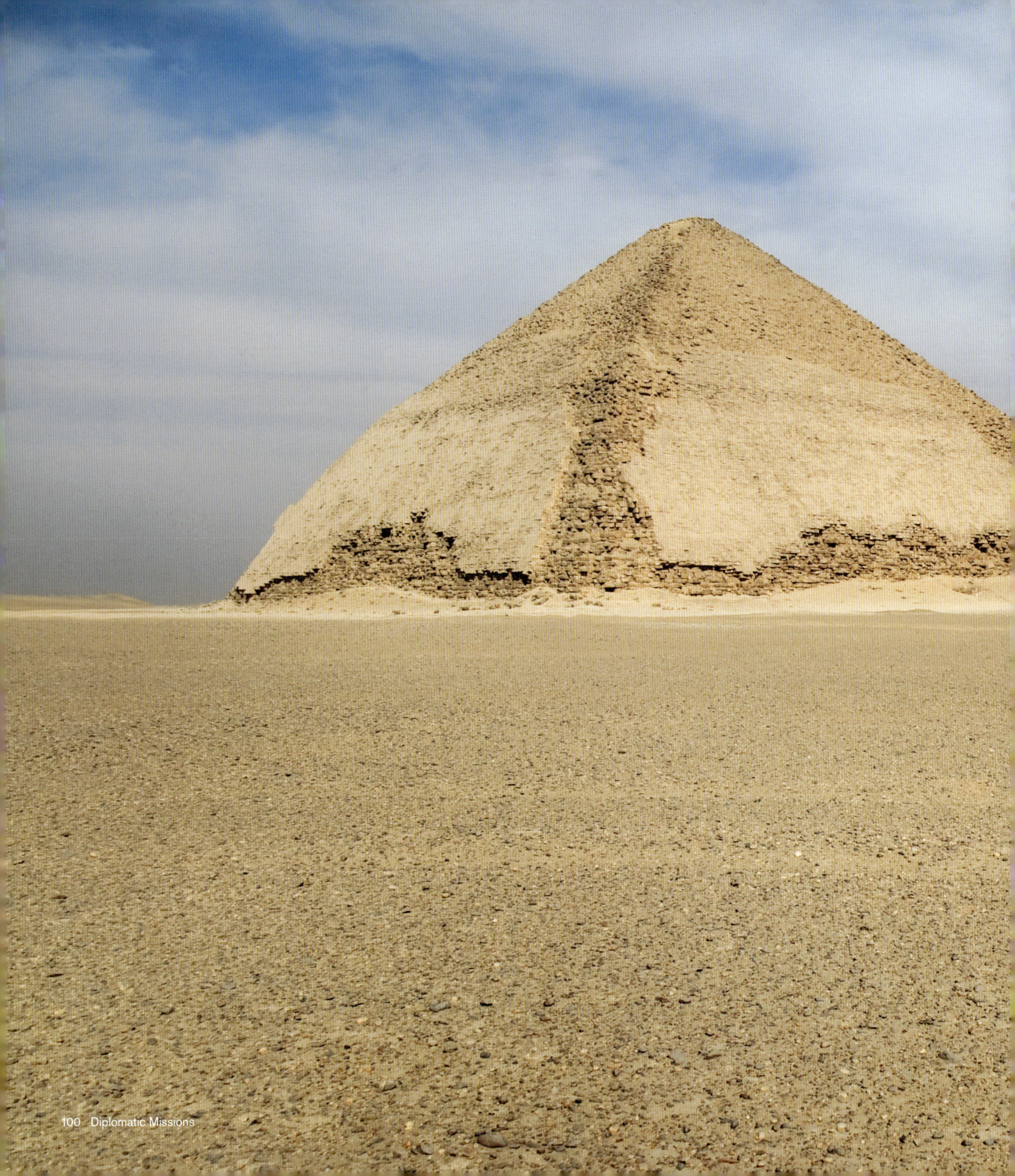

CAI

KAIRO DIE ALTÄGYPTISCHE KNICKPYRAMIDE IN DAHSCHUR WURDE VOR ÜBER 4.650 JAHREN UNTER KÖNIG SNOFRU ERBAUT.

CAIRO THE ANCIENT EGYPTIAN BLUNTED PYRAMID AT DAHSHUR WAS BUILT MORE THAN 4650 YEARS AGO UNDER KING SNEFRU.

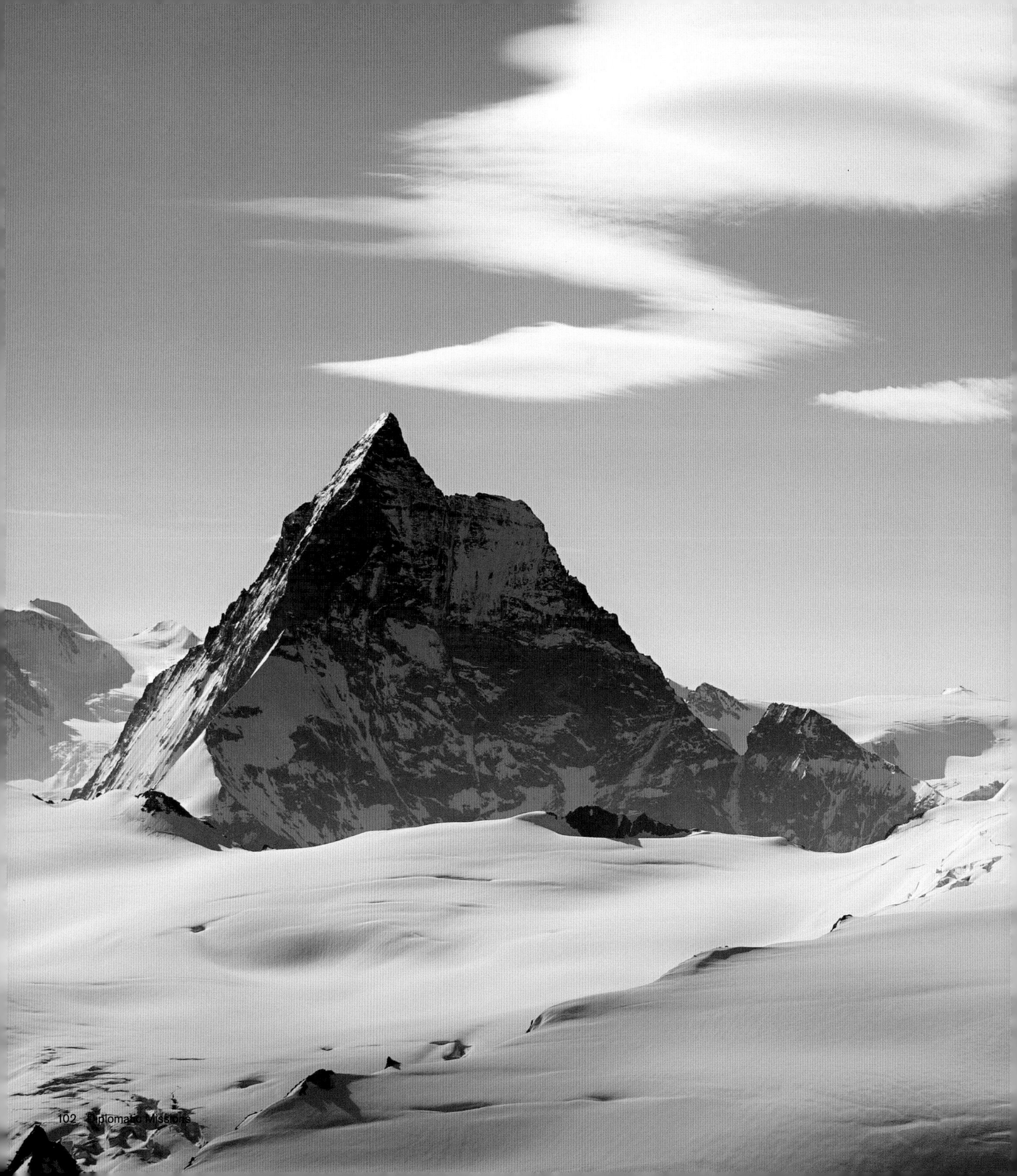

SIR

ZERMATT WIE KEIN ANDERER BERG IST DAS MATTERHORN IN DEN WALLISER ALPEN DAS WELTWEIT BEKANNTESTE WAHRZEICHEN DER SCHWEIZ.

ZERMATT THE MATTERHORN IN THE CENTRAL ALPS IS A WORLD-FAMOUS EMBLEM OF SWITZERLAND.

Schweizerische Residenz
Swiss Ambassador's Residence
Astana

Auftraggeber
Bundesamt für Bauten und Logistik

Projektadresse
Bolsch. Momishuli ul.
Astana

Zeitraum
2009–2010

Die Residenz des eidgenössischen Gesandten in Kasachstan befindet sich im neuen Wohnresort *Highvill* der Hauptstadt Astana und umfasst zwei zusammengelegte Einheiten in einem Luxus-Apartmentblock. Die Trennung der Räumlichkeiten erfolgte auch hier entlang der klassischen Funktionsteilung einer Botschaftsresidenz: Die Repräsentationsbereiche sind von den privaten Rückzugsräumen der Familie klar separiert. Eine alpin inspirierte Ästhetik prägt die Gestaltung: Abstrakt Rustikales wie die aus groben Holzquadern gefertigten Beistelltische oder Natursteinflächen bilden zusammen mit den kräftigen, lebendigen Farben eine Art Gegenentwurf zum Kolorit der kasachischen Steppe. Designklassiker wie der Lounge-Chair von Charles Eames und Möbel des dänischen Gestalters Hans J. Wegner sind in diesem Kontext mehr als nur dekorative Ergänzung: Sie sind auch ein Stück vertrauter Heimat in der unwirtlichen Steppe Zentralasiens.

The Swiss ambassador's residence in the Kazakh capital Astana is housed in two combined apartments in the exclusive residential quarter of Highvill. The classical division is maintained, with public space clearly separated from private family areas. Strong colours and an abstract rustic Alpine aesthetic – rough stone and coffee tables made of coarse timber blocks – form a counterpoint to the hues of the Kazakh steppe. Design classics like the Charles Eames lounge chair and furniture by Danish designer Hans J. Wegner bring a touch of home to the inhospitable steppes of Central Asia.

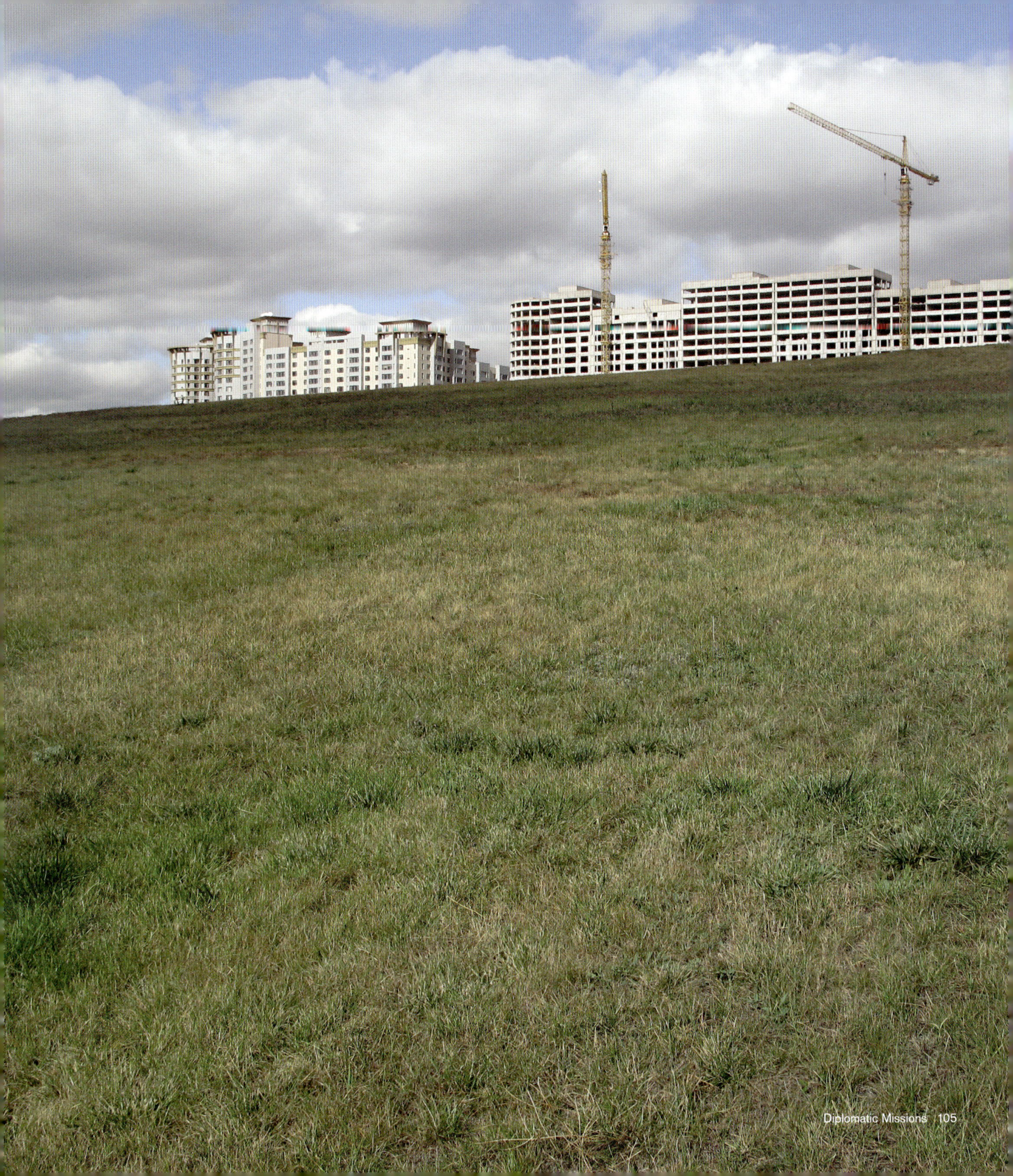

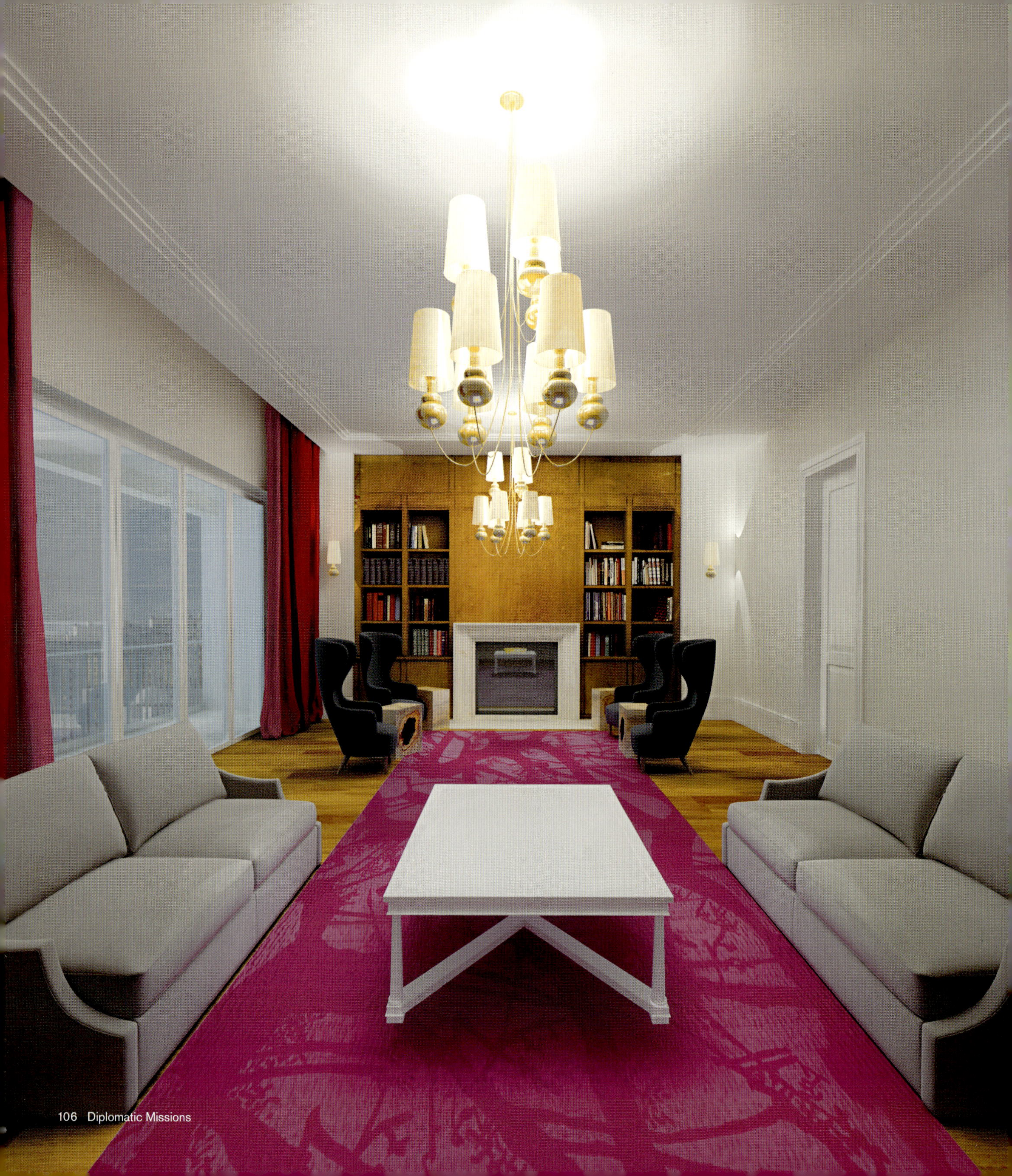

Diplomatic Missions 107

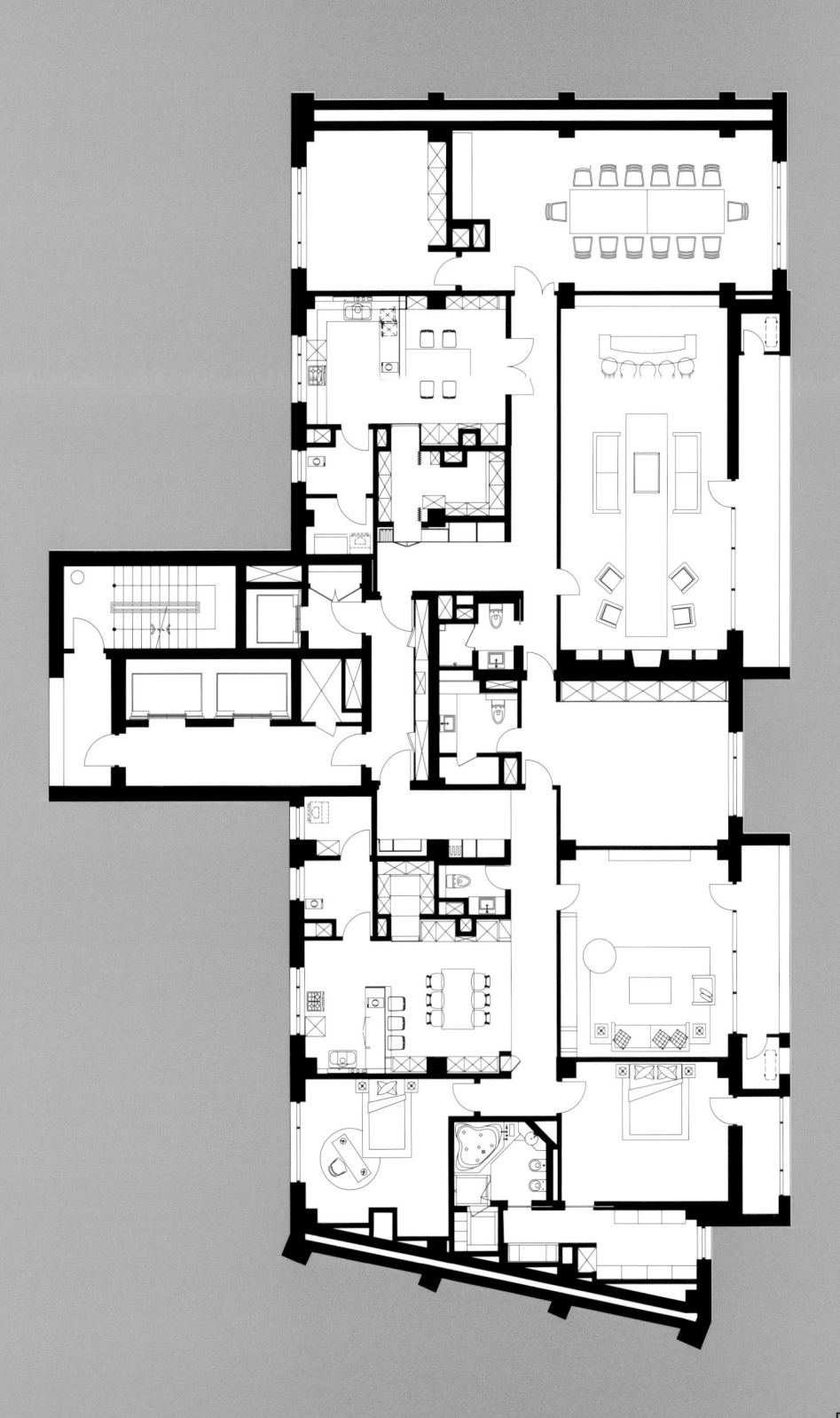

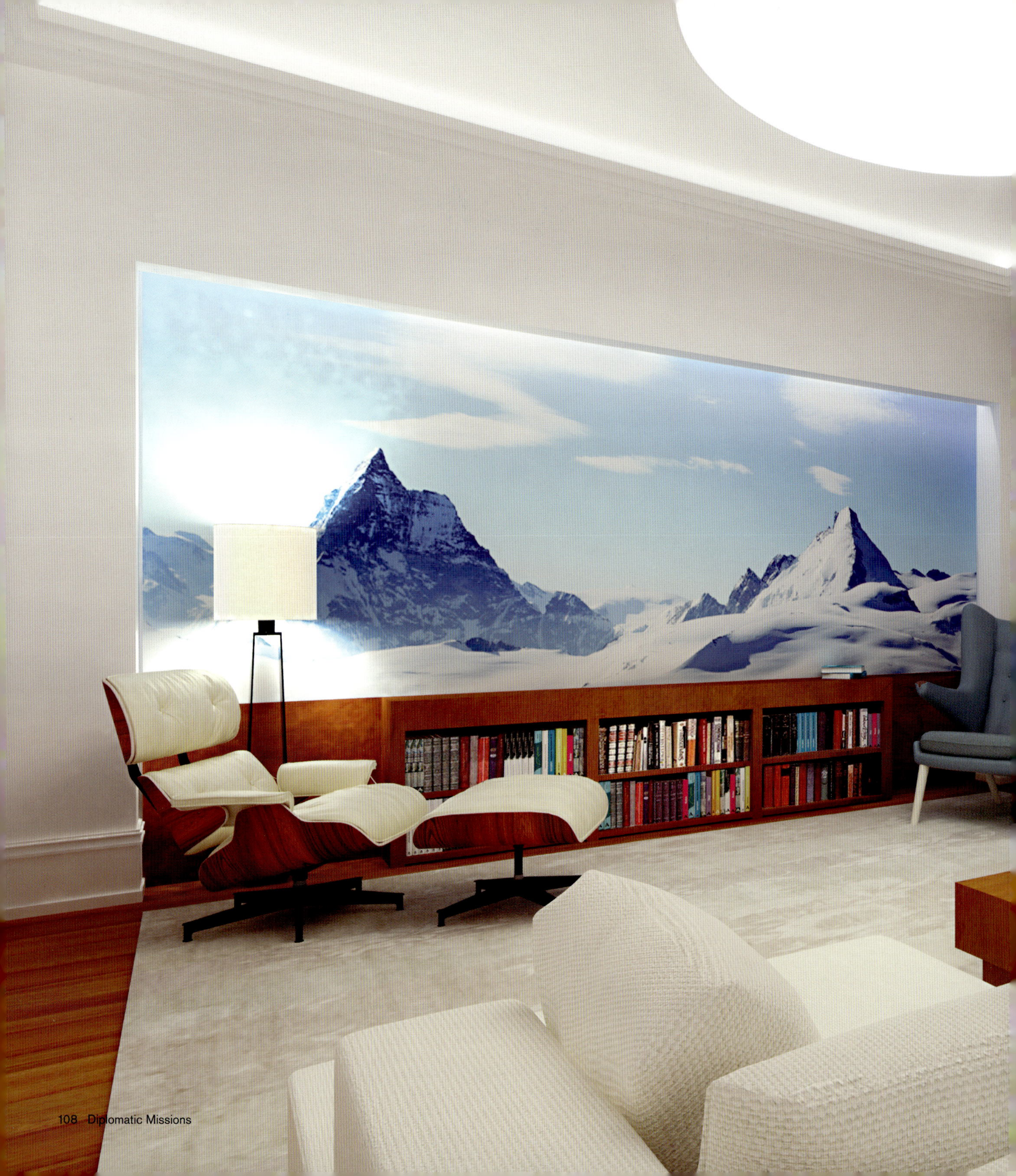

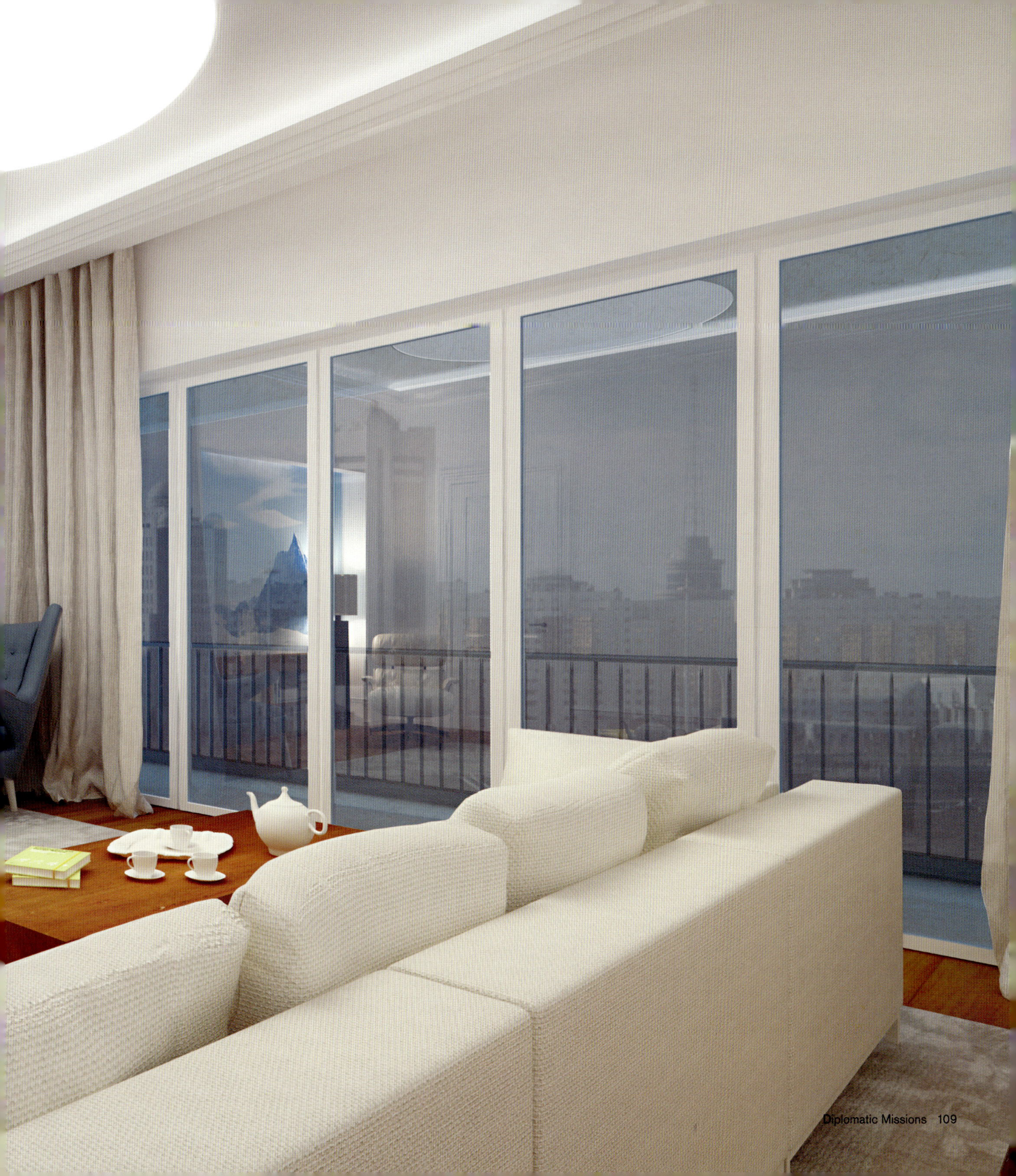

TSE

ASTANA DAS EINKAUFS-
ZENTRUM KHAN SHATYR VON
NORMAN FOSTER ENTSTEHT
UNMITTELBAR NEBEN EINER
DATSCHENSIEDLUNG.

ASTANA NORMAN FOSTER'S
KHAN SHATYR SHOPPING
CENTRE IS RISING DIRECTLY
BESIDE A DACHA COLONY.

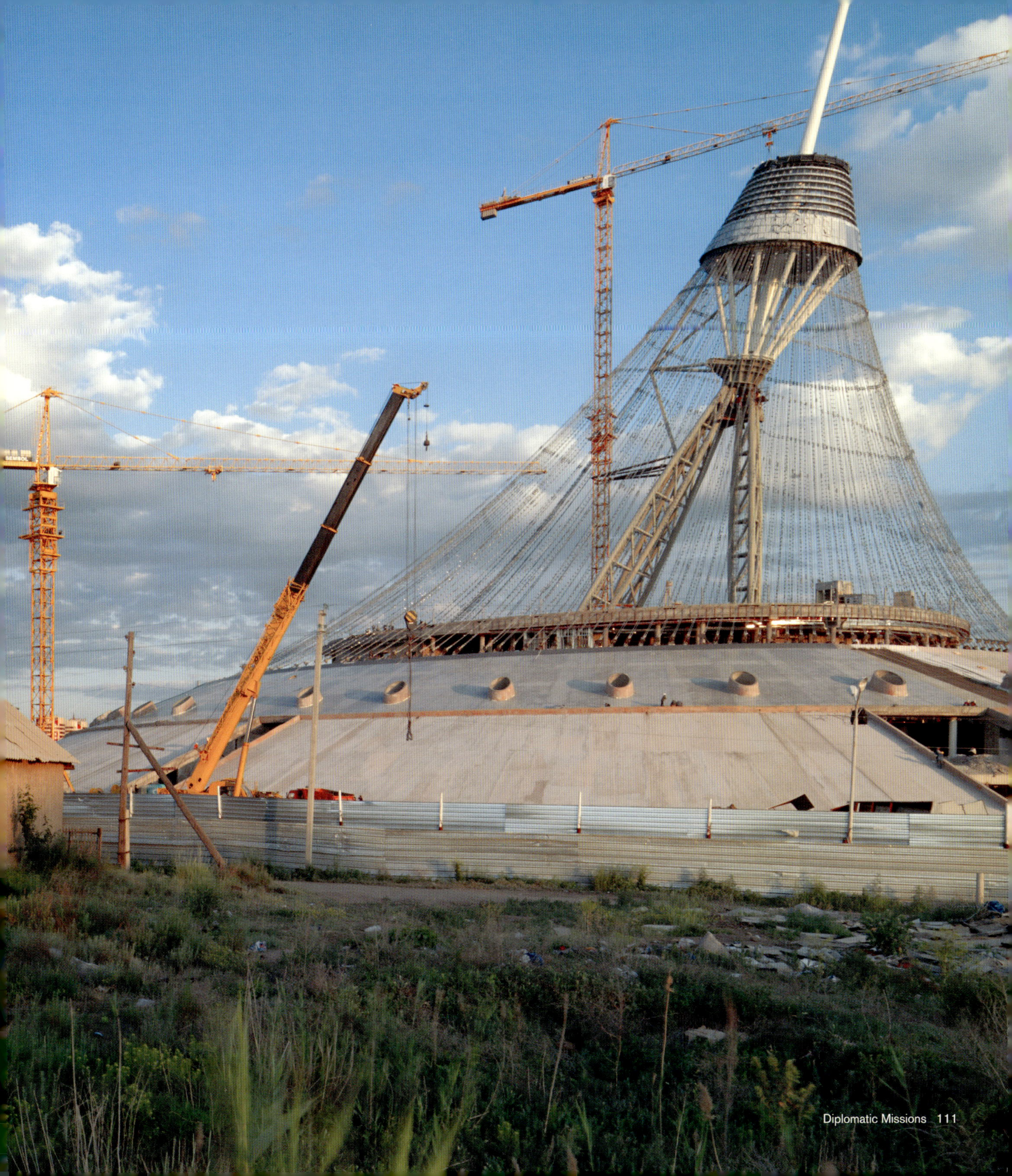

Botschaften in Kasachstan
Embassies in Kazakhstan

Romana Schneider im Gespräch mit Philipp Meuser
Romana Schneider interviews Philipp Meuser

Sie haben eine große Affinität zu Staaten der ehemaligen Sowjetunion. Wie kam Ihr Kontakt nach Zentralasien zustande?

Meine erste Zentralasien-Reise hat mich im Jahr 2000 zum Aralsee geführt, wo ich mithilfe eines Stipendiums der Ruhrgas AG die Auswirkungen der ökologischen Katastrophe vor Ort untersucht habe. Das hatte zunächst wenig mit Architektur, sondern vielmehr mit den Hinterlassenschaften der Sowjetunion zu tun: die wahnwitzige Vorstellung, die Naturgesetze außer Kraft setzen, ganze Flüsse umleiten und eine Wüste ohne ökologischen Verstand in ein fruchtbares Ackerland verwandeln zu wollen. Heute findet man dort nur noch Elend und Verwahrlosung. Das Projekt ist gescheitert, der Aralsee trotz aller Bemühungen für Generationen verloren. Diese Öko-Katastrophe steht stellvertretend für vieles: Denn wo man auch hinschaut, das Erbe der sowjetischen Herrschaft hat tiefe Narben in Natur und Gesellschaft hinterlassen. So ist auch die ideologische Vision gescheitert, zwischen Kaliningrad und Wladiwostok genormte Wohnungen für 250 Millionen »Sowjetmenschen« zu bauen. Insofern landet man früher oder später auch bei der Architektur.

Sie haben für drei europäische Botschaften fünf Etagen eines bestehenden Bürogebäudes umgebaut. Wie sind Sie an die Aufträge gekommen? Warum wurden keine Neubauten errichtet?

Als Ende 2004 die Diskussion begann, die Botschaften aus dem gemeinsamen Gebäude in der alten Hauptstadt Almaty in die neue Hauptstadt Astana zu verlegen, ging es in erster Linie um einen zügigen Umzug in eine Zwischenunterbringung. Wir haben uns damals an einer Ausschreibung des Auswärtigen Amts beteiligt, in der es um die Sondierung von potenziellen Standorten

You have a great affinity for countries which were once part of the Soviet Union. How did your contact come about?

I first went to Central Asia in 2000 when I visited the Aral Sea. Thanks to a grant from Ruhrgas AG I was able to investigate the effects of the ecological catastrophe there. That had more to do with the legacy of the former Soviet Union than with architecture – the insane idea of overcoming the laws of nature, redirecting the course of rivers and transforming a desert into fertile arable land without taking ecological factors into account. Nowadays the region is full of misery and neglect. The project failed and despite concerted efforts the Aral Sea has been lost for generations to come. This ecological catastrophe is representative of many things, because wherever you look the legacy of Soviet domination has left deep scars in all aspects of nature and society. The ideological vision of building identical apartments for 250 million "Soviet citizens" between Kaliningrad and Vladivostok also failed. In that respect you end up looking at architecture sooner or later whenever you deal with the former Soviet Union.

You renovated five floors of an office block for three European embassies. How were you awarded these commissions? Why were new buildings not constructed?

When discussions began at the end of 2004 on moving the embassies from the shared building in the old capital, Almaty, to the new capital, Astana, the priority was a swift move to provisional quarters. We took part in a tender by the German Foreign Office for sounding out potential locations for the new embassy. At that point the present embassy building was

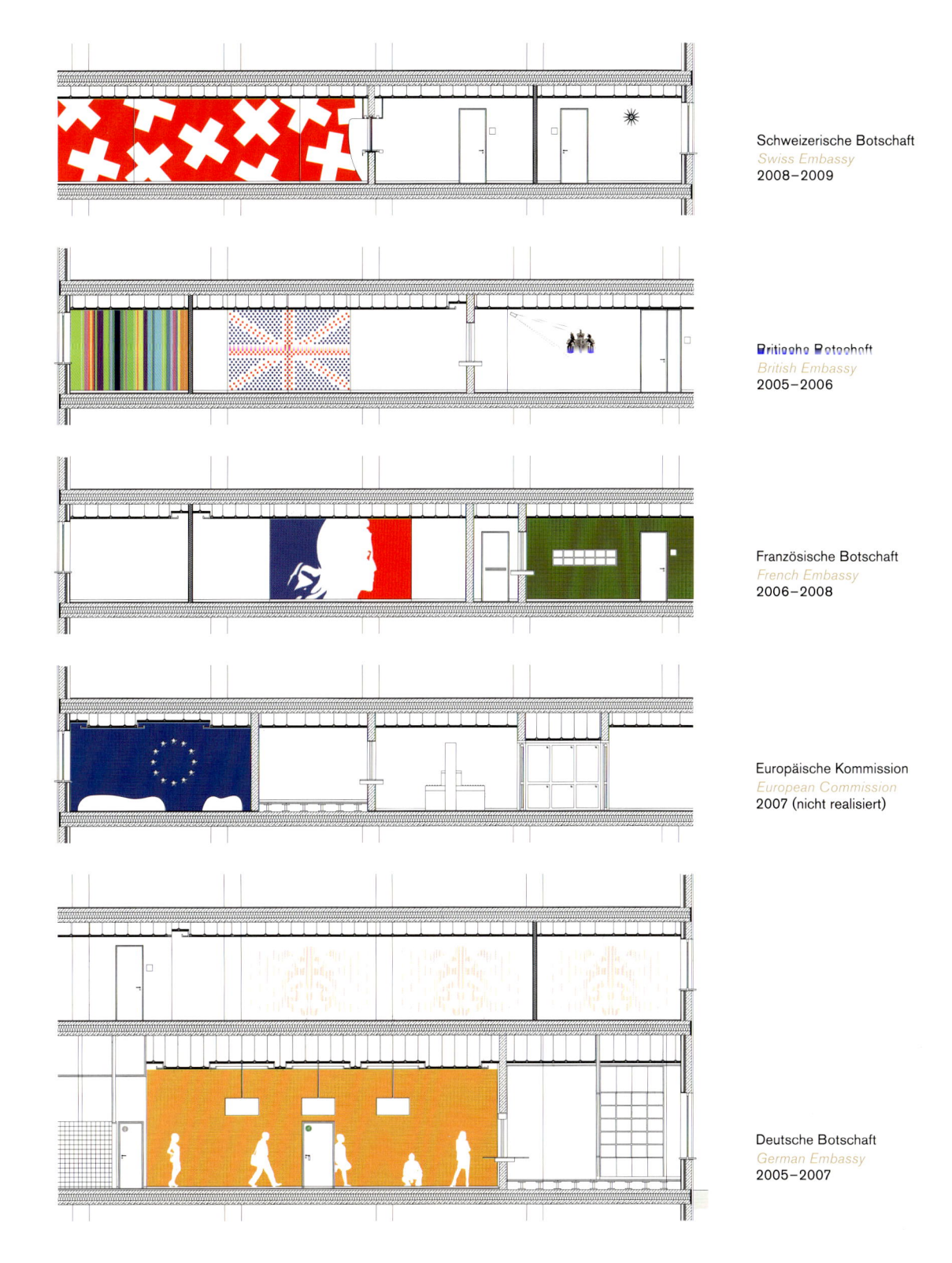

Schweizerische Botschaft
Swiss Embassy
2008–2009

Britische Botschaft
British Embassy
2005–2006

Französische Botschaft
French Embassy
2006–2008

Europäische Kommission
European Commission
2007 (nicht realisiert)

Deutsche Botschaft
German Embassy
2005–2007

Diplomatic Missions

Diplomatic Missions

Bauliche Kuriositäten und
Merkwürdigkeiten entlang der
Seidenstraße

*Curious constructions and other
phenomena along the Silk Road*

für die neue Botschaft ging. Zu dieser Zeit war das heutige Botschaftsgebäude die einzige Immobilie in Astana, bei der bauliche und sicherheitstechnische Anforderungen erfüllt werden konnten. Denn trotz eines Baubooms finden Sie in Kasachstan kaum vorhandene Büroflächen für eine derartige Sondernutzung. Bei den Aufträgen für die Französische und die Britische Botschaft gab es eine Ausschreibung, die dem VOF-Verfahren entspricht.

Was ist das Besondere an dieser Bauaufgabe? Und was waren die Besonderheiten bei der Durchführung der Projekte?

Die Herausforderung beim Bau einer diplomatischen Vertretung besteht zu 90 Prozent im Projektmanagement: zwischen den Dienstorten des Auftraggebers, zwischen den unterschiedlichen Bauvorschriften im Heimat- und im Gastland. Und natürlich in der Kontrolle von Baufirmen, die einen Entwurf umsetzen sollen, der über 5.000 Kilometer entfernt entwickelt wurde. Hinzu kam in Kasachstan, dass wir es mit Bauarbeitern zu tun hatten, die es nicht gewohnt sind, nach Zeichnungen zu arbeiten. Vor allem geht es um die Umsetzung von Sicherheitsvorgaben. Die Gestaltungsfrage, wie sich ein Staat in einem anderen Staat repräsentiert, steht in Astana auf der Prioritätenliste eher unten. Diese Frage mussten wir uns eher selbst stellen. Der Alltag sieht folgendermaßen aus: Sie haben mit einem Dutzend unterschiedlicher Ansprechpartner zu tun, die Ihnen alle einen Stapel an Sicherheitsrichtlinien und Bauvorschriften auf den Tisch legen. Bei drei parallelen Botschaftsprojekten potenziert sich das natürlich. Als Architekt muss man sich dann erst einmal durch dieses Dickicht arbeiten. Zunächst haben wir gedacht: Kein Problem, es sind ja europäische Staaten, es wird wohl auch eine europäische Norm geben. Leider weit gefehlt! Das fängt bei den britischen

the only property in Astana that fulfilled the technical requirements for construction and security. Despite an unparalleled construction boom in Kazakhstan there is very little office space for such a specialised purpose. The tendering process for the French and British embassies corresponded to our VOF procedures (regulating tenders for architectural, engineering and other freelance services in Germany).

What is so special about this commission? And what was unique about the construction work?

Ninety per cent of the challenge when building for diplomatic services is project management, negotiating between the client's various bases and the various building regulations in the home and guest countries. Of course part of it is also keeping an eye on construction companies building to a design that was drawn up over 5,000 kilometres away. We were also working with construction workers in Kazakhstan who were not used to following drawn plans. The implementation of the security stipulations was more important than anything else. The question of design – how one state represents itself within another – came much further down on the list of priorities in Astana. That was much more a question we had to ask ourselves. On the ground it was a case of dealing with a dozen various contacts all piling security guidelines and building regulations on your desk, and of course this was multiplied by a factor of three for our three embassies. As an architect you have to wade through all that first. Initially we thought, no problem, they're all European countries, there must be a European norm. That was unfortunately far from the truth. We encountered everything from British electric sockets

Elektrosteckern an (so dass wir dann selbst irgendwann 50 Adapter im Handgepäck mitgenommen haben, weil sie vor Ort nicht erhältlich waren), geht über die Bauordnung Nordrhein-Westfalen (nach der alle Bundesbauten im Ausland errichtet werden) und hört bei den französischen Sicherheitstüren (die per Luftfracht eingeflogen werden mussten) noch lange nicht auf … Für uns war das alles neu, zumal wir bis dato in Deutschland keine derartig komplexen Projekte abgewickelt hatten.

Wie haben Sie die Baustellen von Berlin aus gemanagt?

Während der Bauleitungsphase wurde mit den Auftraggebern und den Generalunternehmern jeden Monat ein zwei- bis dreitägiges Baustellen-Treffen vereinbart. Die Frequenz wurde zum Ende der Projekte erhöht. Ansonsten war die Betreuung der drei Baustellen nur durch den Einsatz moderner Informationstechnologien möglich. Zum Standard gehörten ein ausschließlich per E-Mail geführter Schriftverkehr, wöchentliche Baustellenberichte via Digitalkamera und ein ständig aktualisierter FTP-Server zum Download der letzten Planstände. Dennoch ersetzte dieses Vorgehen nicht die persönlichen Besuche vor Ort und die regelmäßigen Planungsbesprechungen in London, Berlin, Almaty, Astana oder Moskau (von wo aus die Französische Botschaft beaufsichtigt wurde). Zum Schluss haben wir einen Mitarbeiter permanent vor Ort in Astana gehabt.

Wie war die Kooperation mit den ausführenden Firmen vor Ort?

Die lokalen Firmen, die sich im kasachischen Markt auskennen, haben die wenigsten Probleme bereitet – auch wenn sie häufig mit nicht ausgebildeten Kräften gearbeitet oder einfach nicht

(eventually we just packed fifty adaptors in our hand luggage, because they were so difficult to find there), the building regulations in North Rhine Westphalia (according to which all German federal buildings abroad must be constructed), through to the French security doors (which had to be flown in), and that was only the half of it. It was all new for us, especially considering that we had never carried out such a complicated project even in Germany at that point.

How did you manage the construction sites from Berlin?

During the construction phase we arranged regular meetings with the clients and the main constructor at the site lasting two to three days per month, becoming more frequent towards the end of the project. Apart from that it was only possible to supervise the three sites via modern information technology, generally involving the exclusive use of e-mails for written communication, weekly site reports via a digital camera and an FTP server which was continually updated for downloading the most recent plans. These procedures nevertheless did not replace visiting the sites in person and regular planning meetings in London, Berlin, Almaty, Astana or Moscow (where the supervision for the French embassy took place). Towards the end we had a colleague stationed permanently in Astana.

What was it like working with local companies?

The local companies with insider knowledge of the Kazakh market caused very few problems, even if they did frequently use unskilled employees or just didn't follow the construction

nach Plan gebaut haben. Sie waren flexibel und unkompliziert, konnten mit einem europäischen Projektmanagement gut umgehen. Probleme gab es eigentlich immer dann, wenn deutsche Firmen vor Ort waren und gewerkeweise gedacht haben. Eine deutsche Elektrofirma beispielsweise, die ein Kabel verlegt, ist nicht in der Lage, eine Wand zu schlitzen, da das ja die Aufgabe eines Trockenbauers ist. Mit unserer Vergabe- und Vertragsordnung und der Frage »Wer trägt die Verantwortung?« kommt man nicht besonders weit. Da ist vor allem Kreativität in der Lösung von Problemen gefragt. Diese pragmatische und teils unkonventionelle Vorgehensweise habe ich besonders bei den Auftraggebern in Paris und London zu schätzen gelernt.

Hat es Sie gestört, so wenig architektonisch intervenieren zu können bei der Errichtung der Botschaften?

Wenn ich Architektur nur als Baukunst verstünde, hätte ich wahrscheinlich schon nach wenigen Wochen das Handtuch geworfen. Wenn man aber Architektur als eine Managementaufgabe versteht, bei der es hochkomplexe Anforderungen umzusetzen und täglich neue Probleme zu lösen gilt, ist das mindestens genauso befriedigend. Dort, wo wir konnten, haben wir gestalterische Akzente gesetzt. Doch beim Ausbau von fünf Büroetagen in einem zehn Jahre alten Gebäude bleibt da kein großer Spielraum. Es war immer ein Kampf gegen die existierenden Lüftungskanäle, Sanitärleitungen und das vorhandene Stützenraster.

Alle drei Botschaften, die Sie realisiert haben, mussten von der alten Hauptstadt Almaty in die neue Hauptstadt Astana umziehen. Können Sie an einem Projekt schildern, welche Auswirkungen das auf Ihre Arbeit hatte?

plans. They were flexible and uncomplicated and were able to work well with a European system of project management. The problems always came when German firms were on site and wanted to keep the various trades separate, as they are used to doing. A German electrical company laying a cable, for instance, is not willing to open up the wall, because that is a job for a drywall technician. The German system of tendering and contracts and asking the question "Whose responsibility is this?" doesn't get us very far. Creativity is the best option for solving these problems. I have come to appreciate this pragmatic and somewhat unconventional approach in particular with regard to the clients in Paris and London.

Did it bother you that you had so little architectural influence in the construction of the embassies?

If I saw architecture solely as the art of design I would probably have thrown in the towel after a few weeks. But architecture can be just as satisfactory if you see it as a management issue, realising a set of highly complex specifications and solving new problems on a day-to-day basis. We incorporated design elements wherever we could, but when you renovate five storeys of a ten-year-old office block there isn't that much room for manoeuvre. It was actually always a struggle with the existing ventilation and plumbing systems and the column grid.

All three embassies you designed had to move from the old capital, Almaty, to the new one, Astana. Could you describe one of the projects to give us an idea of how that affected your work?

118 Diplomatic Missions

Designklassiker aus sowjetischer und
post-sowjetischer Zeit

*Design classics from the Soviet and
post-Soviet eras*

Nehmen wir die Britische Botschaft: Abstimmungen erfolgten zwischen London (Auftraggeber), Berlin (Architekt), Almaty (Nutzer) und Astana (Baufirmen). Hinzu kam, dass aufgrund von Sicherheitsrichtlinien die Pläne immer parallel mit unterschiedlichen Informationen bearbeitet werden mussten. Außerdem mussten wir vor Ort Baumaterialien beschaffen, die den qualitativen Vorgaben des Außenministeriums entsprachen. Darüber hinaus galt es, ein Umzugsmanagement zu unterstützen, bei dem innerhalb einer Woche knapp 70 Personen (Diplomaten, Ortskräfte und deren Familien) in eine mehr als 1.000 Kilometer entfernte Stadt umziehen und binnen weniger Tage arbeitsfähig sein mussten. Eine der wichtigsten Lehren war, dass wir so gut es ging vermieden haben, Planungsänderungen zuzulassen. So etwas ist bei einem derartigen Projekt immer mit einem hohen Risiko verbunden, dass die Information an irgendeiner Stelle nicht richtig ankommt und entsprechende Fehler in der Ausführung entstehen.

Welche westlichen Architekten sind in Kasachstan tätig?

In Kasachstan engagiert sich inzwischen eine ganze Reihe von Architekten, die man dort wahrscheinlich nicht vermuten würde; Norman Foster, Rem Koolhaas, Robert Stern, Ricardo Bofill, SOM (Skidmore, Owings & Merrill) – um nur einige zu nennen. Sie werden vor allem von Projektentwicklern beauftragt, die es verstehen, die Bekanntheit der internationalen Stars für ihren Geschäftserfolg einzusetzen. Es handelt sich dabei allerdings um Leuchtturmprojekte, die keinen wirklichen Beitrag zur Verbesserung der Stadtstruktur leisten. Die moderne kasachische Stadt ist eine willkürliche Ansammlung von architektonischen Objekten,

Let's take the British embassy as an example. The decision-making process was split between London (client), Berlin (architect), Almaty (user) and Astana (construction companies). Additionally the security guidelines stipulated that various sets of plans had to be processed simultaneously but with different kinds of information. It was particularly difficult sourcing construction materials which met the quality standards of the British foreign office.
On top of that we had to coordinate a move of nearly seventy people (diplomats, local staff and their families) within a week to a city over a thousand kilometres away and get them ready for work within a few days. One of the most important lessons was to avoid making alterations to the plans if at all possible. There's always a high risk with a project of that nature that the right information doesn't get communicated, resulting in mistakes being made during construction.

Are there other western Architects operating in Kazakhstan?

A number of architects you probably wouldn't expect are now active in Kazakhstan – Norman Foster, Rem Koolhaas/Office for Metropolitan Architecture (OMA), Robert A. M. Stern, Ricardo Bofill, SOM (Skidmore, Owings & Merrill), just to name a few. They have all been commissioned by project developers who realise that famous international star architects will boost the success of their business. However these are all flagship developments which do not really structurally improve the city. The modern Kazakh city is a random collection of architectural objects all competing with

Baustellenimpressionen diesseits und jenseits des Urals

Construction sites east and west of the Ural

die alle miteinander konkurrieren. Dass sich ein privater Bauherr den städtebaulichen Vorgaben der öffentlichen Planungsbehörde unterordnet, ist nahezu unbekannt.

Welche Schlüsse ziehen Sie aus den Botschaftsprojekten für Ihre weitere Arbeit?

Aufgrund der erschwerten Rahmenbedingungen haben wir in unserem Büro verschiedene Instrumente zur Qualitätssicherung eingeführt, die auf unsere Projektstruktur zugeschnitten sind. Anders kann man ein Dutzend Auslandsprojekte, die wir inzwischen bearbeiten, mit einem zehnköpfigen Team gar nicht bewältigen. Das Wichtigste sind hoch motivierte und flexible Mitarbeiter. Der Faktor Mensch spielt eigentlich die größte Rolle – vermutlich bei allen Planungsprojekten, ob in Deutschland oder im Ausland. Man muss sich ad hoc auf besondere Situationen einlassen können. Aber auch fachlich haben wir aus den Kasachstan-Projekten Schlüsse gezogen: Wenn man sich einmal in eine komplexe Planungsaufgabe hineingedacht hat, wäre es töricht, sich mit dieser Typologie nicht weiter auseinanderzusetzen. Das Thema »Architektur und Sicherheit« wird unsere Generation mindestens genauso beschäftigen wie die Themen Energieeffizienz und Barrierefreiheit. Es liegt also nahe, dass wir im Ausland auch andere Projekte mit hohen Sicherheitsanforderungen realisieren. Derzeit planen wir einige Bankfilialen, ein Projekt am Kaspischen Meer haben wir inzwischen abgeschlossen.

Sie haben im Rahmen eines Lehrauftrags an der Technischen Universität Berlin zum Thema *Hauptstadtinszenierungen in Zentralasien* gearbeitet. Was war das Ziel und das Ergebnis?

each other. It is virtually unknown for a private developer to follow the urban planning regulations issued by the public planning authority.

What conclusions can you draw from the embassy projects for your work in the future?

Working under such challenging conditions, we brought in a series of quality control measures that were tailored to the structure of the project. It is the only way of managing the twelve international projects we are currently working on with a ten-strong team. The most important element is having highly-motivated and flexible staff.
The people factor probably plays the greatest role, presumably in all planning projects, whether in Germany or abroad. You have to be prepared to get involved in certain situations on an ad hoc basis. We also drew conclusions in architectural terms from the Kazakhstan projects. Once you've established the thought processes needed for such complex planning it would be foolish not to continue in a similar vein. Architecture and security is a subject that will concern our generation at least as much as energy efficiency and accessibility.
Taking on other projects abroad with tight security requirements seemed to be the obvious thing to do. We are currently planning several bank branches and have already completed a project on the Caspian Sea.

As part of a teaching commission at the Technical University Berlin you looked at "Creating Capital Cities in Central Asia". What were you aiming to achieve and what was the result?

Diplomatic Missions · 121

Denkmäler zentralasiatischer
Nationalhelden

*Monuments of Central Asia's
national heroes*

Astana dürfte die prominenteste Hauptstadtneugründung des beginnenden 21. Jahrhunderts sein. Doch die Berichterstattung zu diesem Thema und die Informationslage entsprechen keineswegs dieser Bedeutung. Da liegt es meiner Meinung nach nahe, das Thema mit Studenten zu diskutieren. Im Rahmen des Seminars haben wir das Phänomen »Nationenbildung durch Architektur« in allen fünf zentralasiatischen Republiken behandelt. Denn überall mussten sich die ehemaligen Sowjetrepubliken mit der Frage auseinandersetzen, welches architektonische Gesicht die neuen Hauptstädte erhalten sollen. Während Usbekistan, Kirgisien, Tadschikistan und Turkmenistan die alten Städte überformen, hat sich Kasachstan eine neue Hauptstadt in der Steppe gebaut. Überall ist erkennbar, dass die neue Architektur ganz wesentlich zu einem neuen Aushängeschild des Staates avanciert ist. Gefreut hat mich an dem großen Interesse für das Seminar, dass die junge Generation offensichtlich weniger Berührungsängste mit der ehemaligen Sowjetunion hat als etwa unsere Elterngeneration. Insofern sehe ich noch ein großes Potenzial für deutsche Architekten in Russland und den anderen GUS-Staaten.

Das Gespräch führte Romana Schneider im Februar 2008.

Astana may well be the most prominent new capital city established at the start of the twenty-first century, yet the reporting on the subject and the available information do not reflect this at all. I think discussing the matter with students is an obvious step. We dealt with the phenomenon of "building nations with architecture" in all five Central Asian republics during the seminar. All of the former Soviet republics had to address the question of the architectural image the new capitals should present. While Uzbekistan, Kyrgyzstan, Tajikistan and Turkmenistan transformed the old cities, Kazakhstan built a new capital in the steppes. Wherever you look it's clear that the new architecture has essentially become the contemporary hallmark of the state. I was pleased by the strong resonance the seminar attracted; the younger generation apparently has fewer reservations about the former Soviet Union than our parents' generation. That's one reason why I foresee a huge potential for German architects in Russia and the other countries belonging to the Confederation of Independent States (CIS).

The interview was conducted by Romana Schneider.

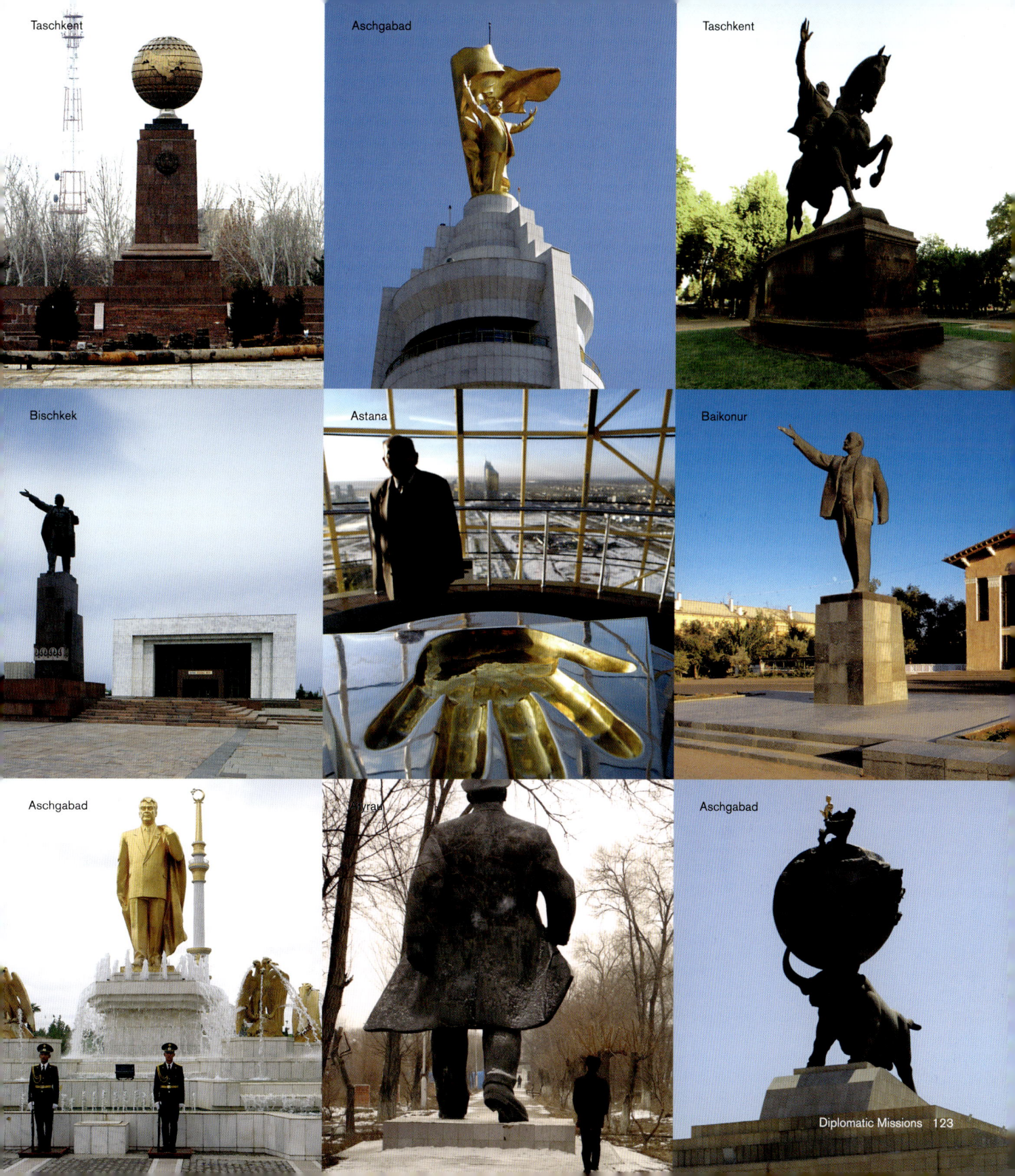

Taschkent	Aschgabad	Taschkent
Bischkek	Astana	Baikonur
Aschgabad	Atyrau	Aschgabad

Diplomatic Missions 123

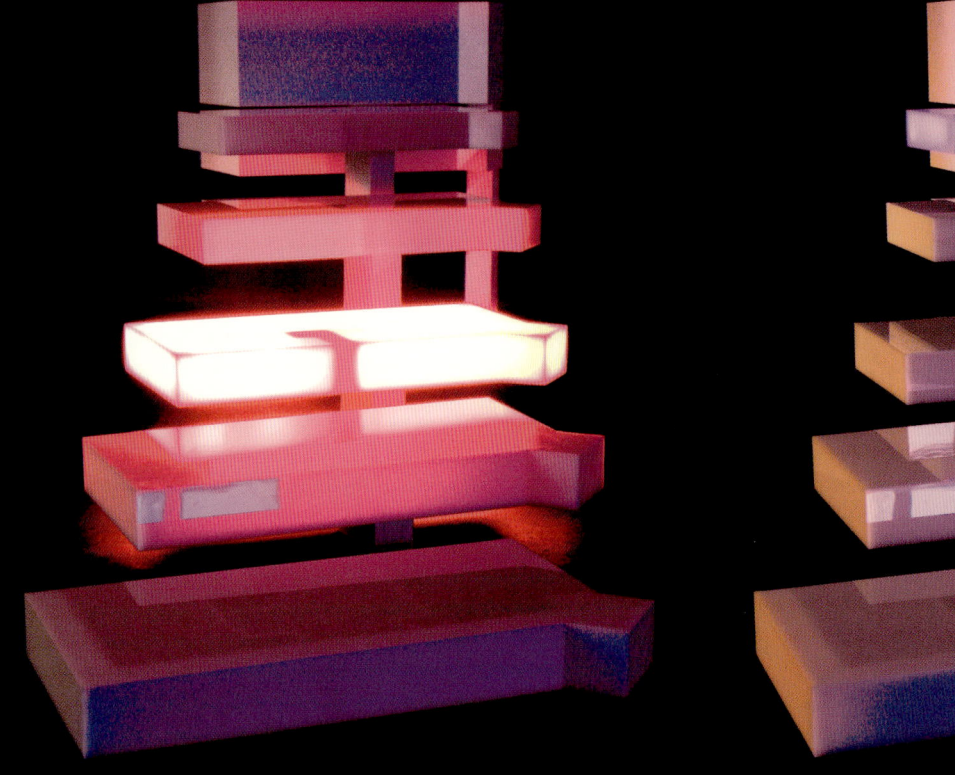

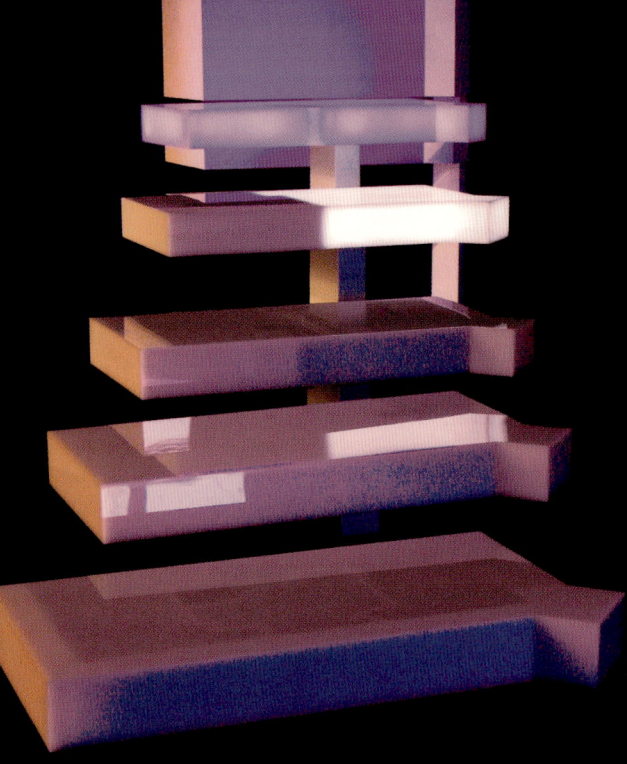

Modelldarstellung der Geschosse im Bürogebäude *Presidential Plaza* in Astana, die zwischen 2005 und 2009 für die Botschaften Deutschlands, Großbritanniens, Frankreichs und der Schweiz ausgebaut wurden

The Presidential Plaza in Astana, model of floors converted in 2005–2009 for the German, British, French, and Swiss embassies

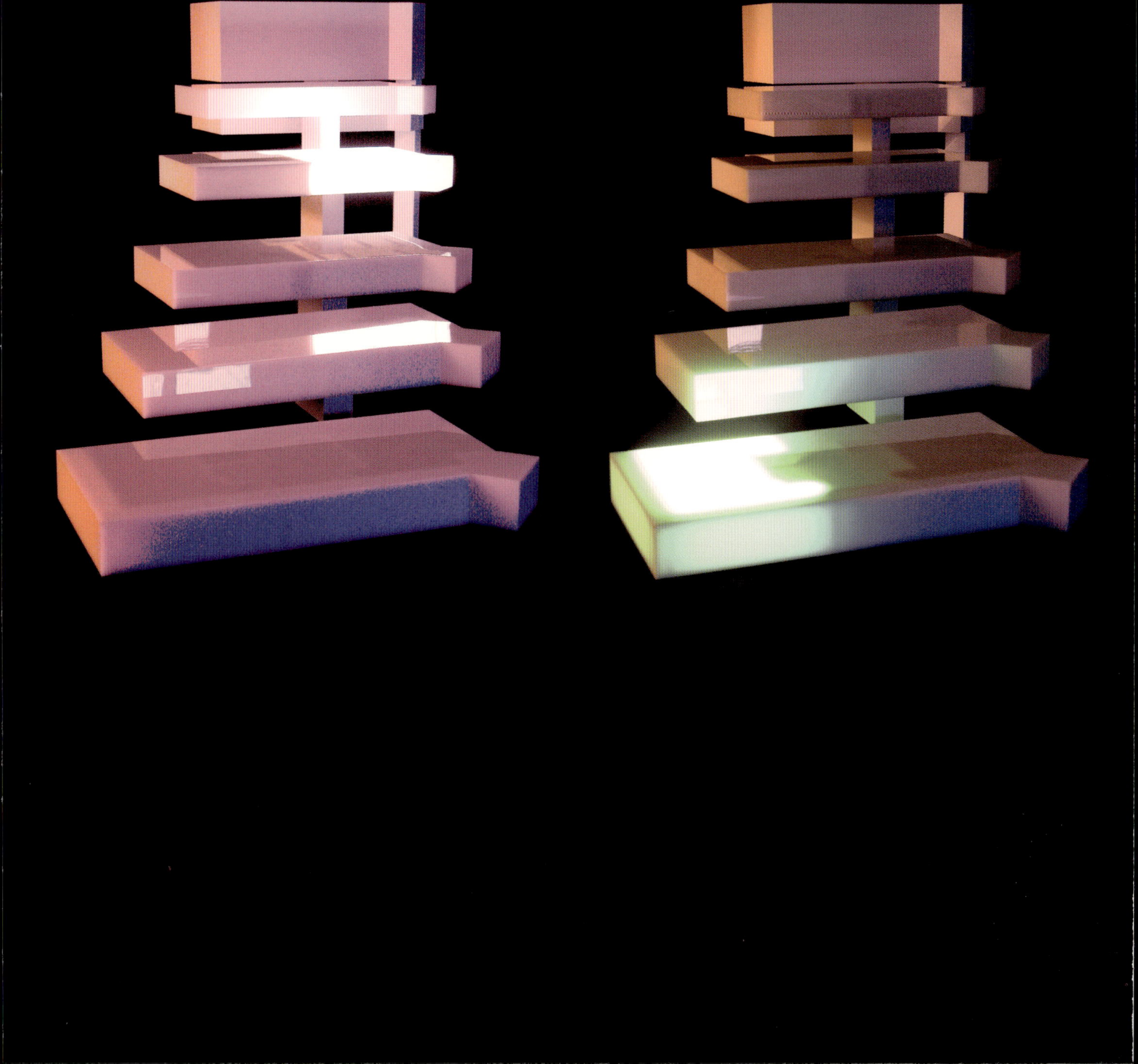

Deutsche Botschaft
German Embassy
Astana

Bauherr
Bundesamt für Bauwesen und Raumordnung

Projektadresse
ul. Kosmonawtow 62
Astana

Zeitraum
2004 – 2007

In Arbeitsgemeinschaft mit
Oppert + Schnee Architekten

Die diplomatische Vertretung Deutschlands in Kasachstan zog mit der Verlagerung der Hauptstadtfunktionen von Almaty in die neue Kapitale Astana. Dort residiert die Botschaft mit Vertretungen anderer Länder in einem neungeschossigen Bürohaus und erstreckt sich mit ihren Räumlichkeiten auf drei Etagen. Der Anspruch bestand in der sinnvollen Verknüpfung der unterschiedlichen Funktionen einer Botschaft. Zunächst galt es, 2.000 Quadratmeter Bürofläche mit relativ bescheidenen Mitteln für die Visa-Abteilung und die Kanzlei herzurichten. Von den wenig vorteilhaften baulichen Gegebenheiten – geringe Deckenhöhe, lange, kahle Flure – lenken nun farbig gestaltete Wände und schöne Details ab, die auch die jeweilige Funktion des Bereichs widerspiegeln. So sind die Wände des Wartebereichs in der Visa-Abteilung mit Schattenrissen von wartenden Menschen versehen, den eintönigen Korridoren verleiht Wandtapete mit abstrakter Ornamentik belebende Impulse. Die eigens angefertigten Möbel sowie die Einbauten finden sich in allen Räumen unabhängig von der hierarchischen oder funktionalen Zuschreibung. Das Projekt ist eine auf fünf bis sieben Jahre befristete Zwischenlösung bis zur Fertigstellung eines eigenen Botschaftsgebäudes.

When Kazakhstan's capital moved to Astana, Germany's diplomatic representation followed. Since its new long-term home will take some years to complete, an interim solution was found on three floors of a nine-storey office building shared with other embassies. The challenge was to adapt 2000 sqm of office space on a relatively modest budget. Silhouettes on the waiting room walls and abstract designs in the long bare corridors provide interest and identify function. All the rooms have specially produced furniture and fittings, regardless of hierarchy and purpose.

Diplomatic Missions 127

128 Diplomatic Missions

Diplomatic Missions 129

Moderne Interpretation eines kasachischen Ornaments
Modern transformation of a traditional Kazakh ornament

Traditioneller Fassadenschmuck eines Eingangs
Traditional wall pattern

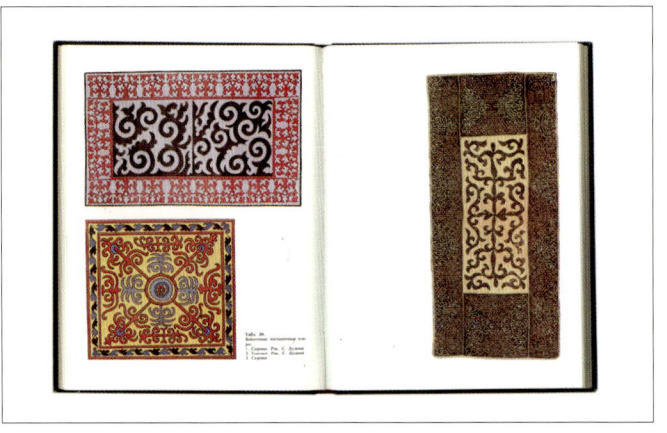

Traditionelle Ornamente auf Teppichen
Traditional carpet design

Palast des Emirs Shir-Budun in Buchara, um 1910
Emir Shir-Budun's palace in a country grove, Bukhara, approx. 1910

Fassade eines Restaurants in Astana, 2008
Façade design of an Astana's restaurant, 2008

Diplomatic Missions 131

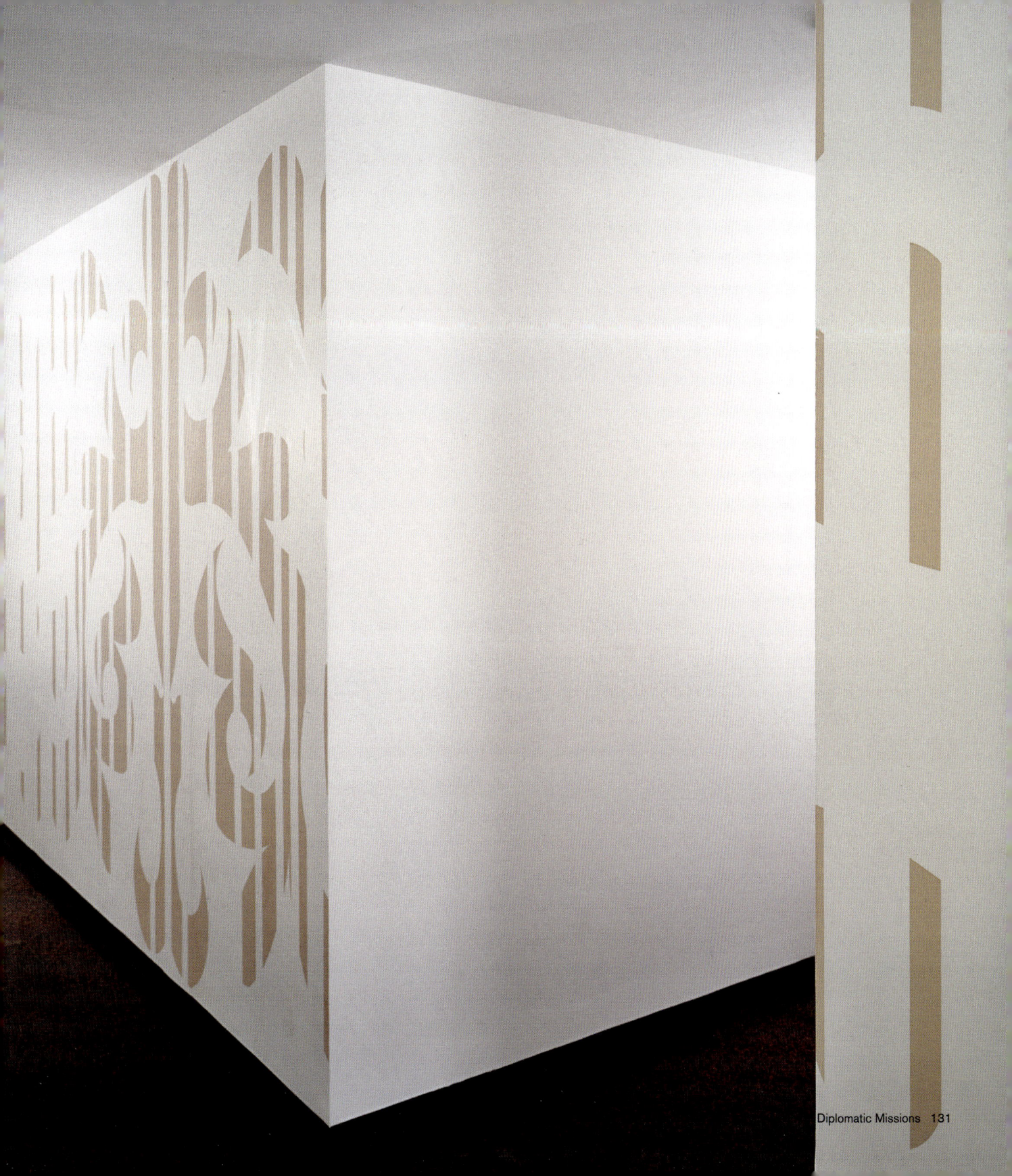

SCHNITT / SECTION E-E

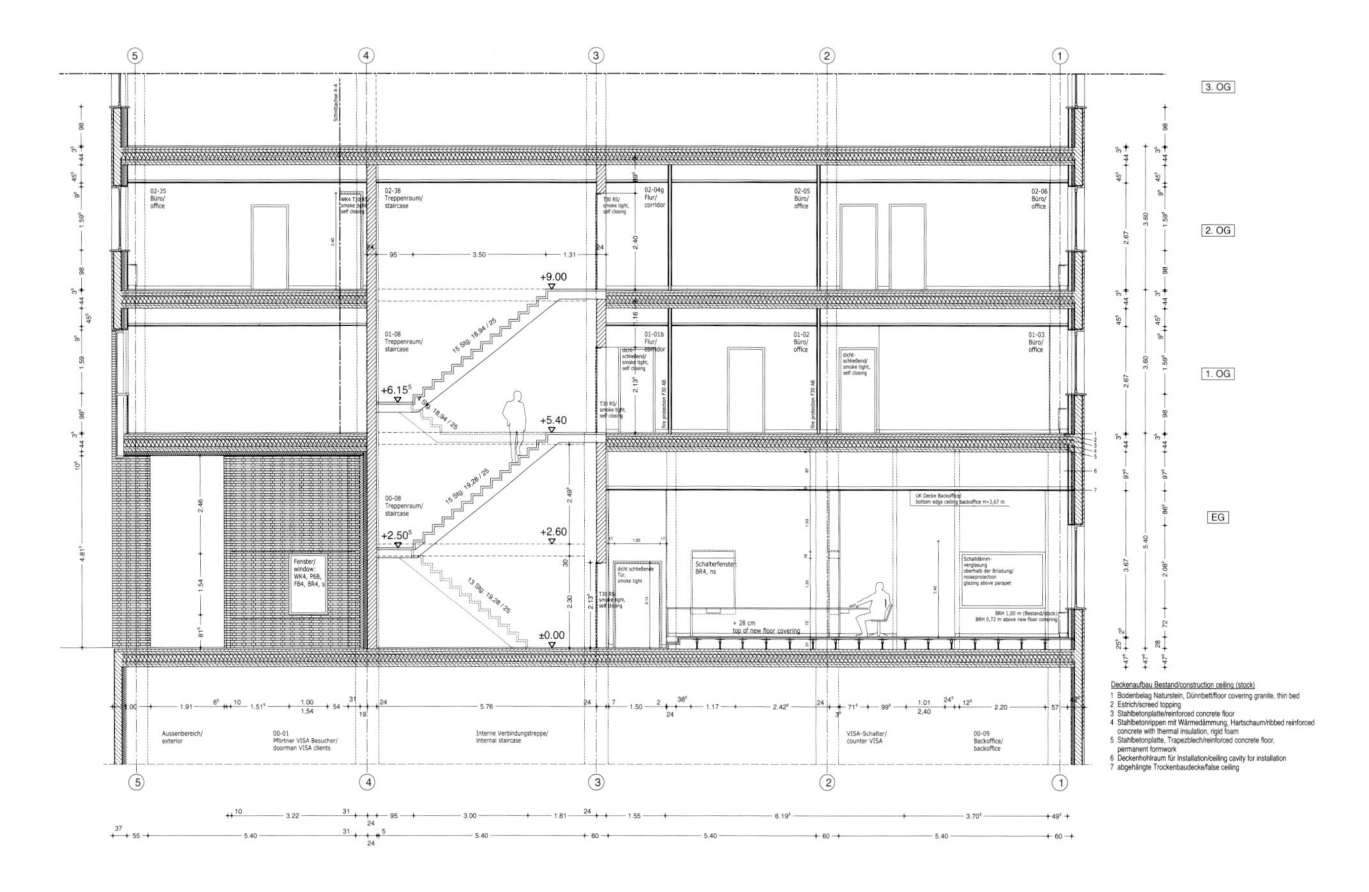

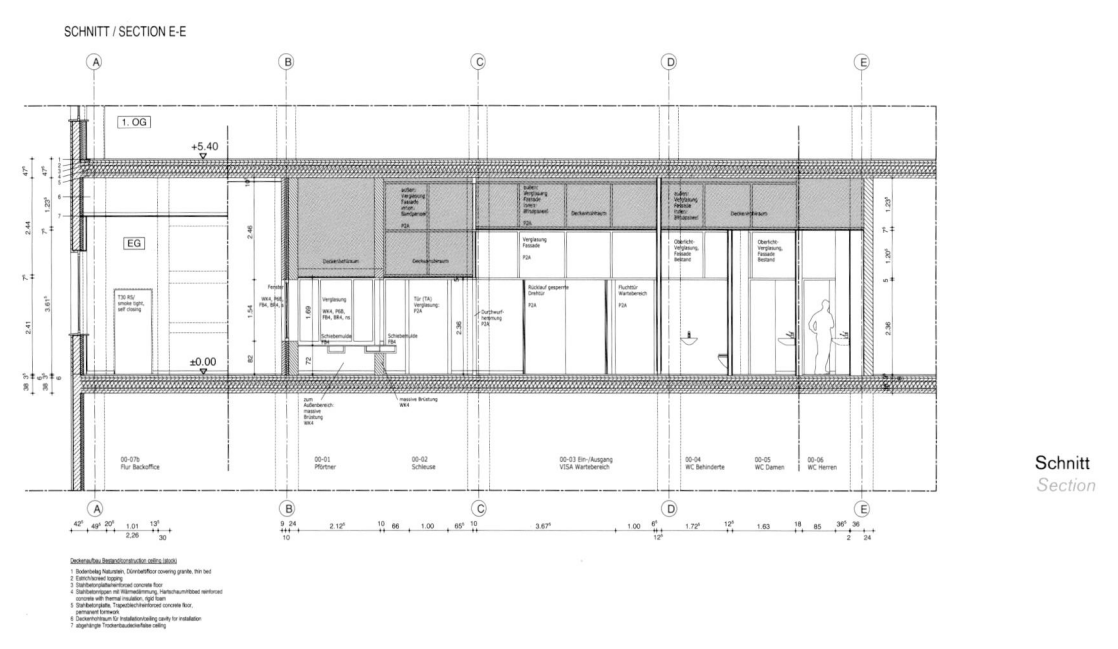

Schnitt
Section

132 Diplomatic Missions

Diplomatic Missions 133

Französische Botschaft
French Embassy
Astana

Bauherr
Ambassade de France au Kazakhstan

Projektadresse
ul. Kosmonawtow 62
Astana

Zeitraum
2006–2008

Auch die Botschaft Frankreichs hat sich dem Tross von Almaty nach Astana angeschlossen und residiert bis auf Weiteres in einem schlichten Bürohochhaus. Dass die *Grande Nation* sich mit einer halben Etage bescheidet, hat einen simplen Grund. Die Visa-Abteilung der Botschaft ist in einer Außenstelle in Almaty geblieben. Kanzlei und administrative Bereiche der Botschaft teilen sich eine Fläche von 650 Quadratmetern und sind in einem harmonischen räumlichen Gefüge vereint. Die Wände der Lobby sind in den Farben der Trikolore gehalten und die Silhouette der Nationalheiligen Marianne lässt keinen Zweifel daran, wer hier Hof hält. Die Einrichtung der Mitarbeiterbüros sowie der Konferenz- und Medienräumlichkeiten ist im Stil der westlichen Moderne gehalten; Designklassiker von Mies van der Rohe, Eames und Paulin fügen sich auf elegante wie zurückhaltende Weise in das Gestaltungskonzept. Dass sich trotz der vielen Anleihen bei westlicher Einrichtungskultur ein Hauch von Sowjetära hält, ist vermutlich dem glänzenden Granitboden zu verdanken, der einen ungewöhnlichen Kontrast zur Innenarchitektur bildet und der Leichtigkeit eine gewisse Schwere entgegensetzt.

The French embassy joined the trek from Almaty to Astana, residing for the time being in an ordinary office building. If half a storey suffices it is because the visa department was left behind in the more convenient location in Almaty. Chancellery and administration share 650 sqm of harmoniously arranged space. The tricolour lobby provides a striking Pop Art welcome with the silhouette of Marianne, while offices and conference rooms follow the style of Western modernism. Classics by Mies van der Rohe, Eames, and Paulin fit elegantly into the concept, contrasting the heavy Soviet-style granite floor.

Diplomatic Missions 135

Besprechungsraum
Conference room

Diplomatic Missions 137

Britische Botschaft und British Council
British Embassy and British Council
Astana

Bauherr
Foreign and Commonwealth Office

Projektadresse
ul. Kosmonawtow 62
Astana

Zeitraum
2005–2008

Die Vertretung des Vereinigten Königreichs präsentiert sich auch in der kasachischen Hauptstadt in der gewohnten Mischung aus konservativem Understatement und freimütigem Bekenntnis zur experimentierfreudigen Popkultur. Die 1.200 Quadratmeter große Etage in einem Bürohochhaus musste in Anbetracht der weltpolitischen Gefährdungslage zunächst sicherheitstechnisch ertüchtigt werden. Ausgehend von den örtlichen Gegebenheiten wurde ein gestalterisches Konzept erarbeitet, das auf einer simplen Dichotomie beruht: dunkle Böden, strahlend weiße Wände. So ließ sich auch der etwas gravitätisch und düster wirkende Belag aus dunkelrotem, glänzend poliertem Granit in eine Gestaltung integrieren, die etwas vom Selbstverständnis Großbritanniens vermitteln soll. Die Op-Art-Elemente und Grafiken der Wandgestaltung in den öffentlichen Bereichen variieren das Thema der Nationalflagge, während das Büro des British Council mit einer farbigen Tapete versehen wurde, die dem Farbkanon des Instituts entspricht. Die Büros der Leitungsebene unterscheiden sich hinsichtlich Mobiliar und Wandgestaltung nicht von den Arbeitsräumen der Mitarbeiter. Auf jegliche Form der Hierarchisierung wurde zugunsten eines kohärenten Erscheinungsbilds verzichtet.

The UK embassy in the Kazakh capital offers the typical British mix of conservative understatement and bold experimentation. Given the current global situation, security came first. The design for the 1200 sqm of office space integrates the rather sombre red granite floor into a simple dichotomy with gleaming white walls. Op-Art elements and wall graphics play on the Union Jack theme, while the British Council has wallpaper in its corporate colours. For the sake of coherent overall appearance, all offices have the same furniture and wall designs, regardless of hierarchy.

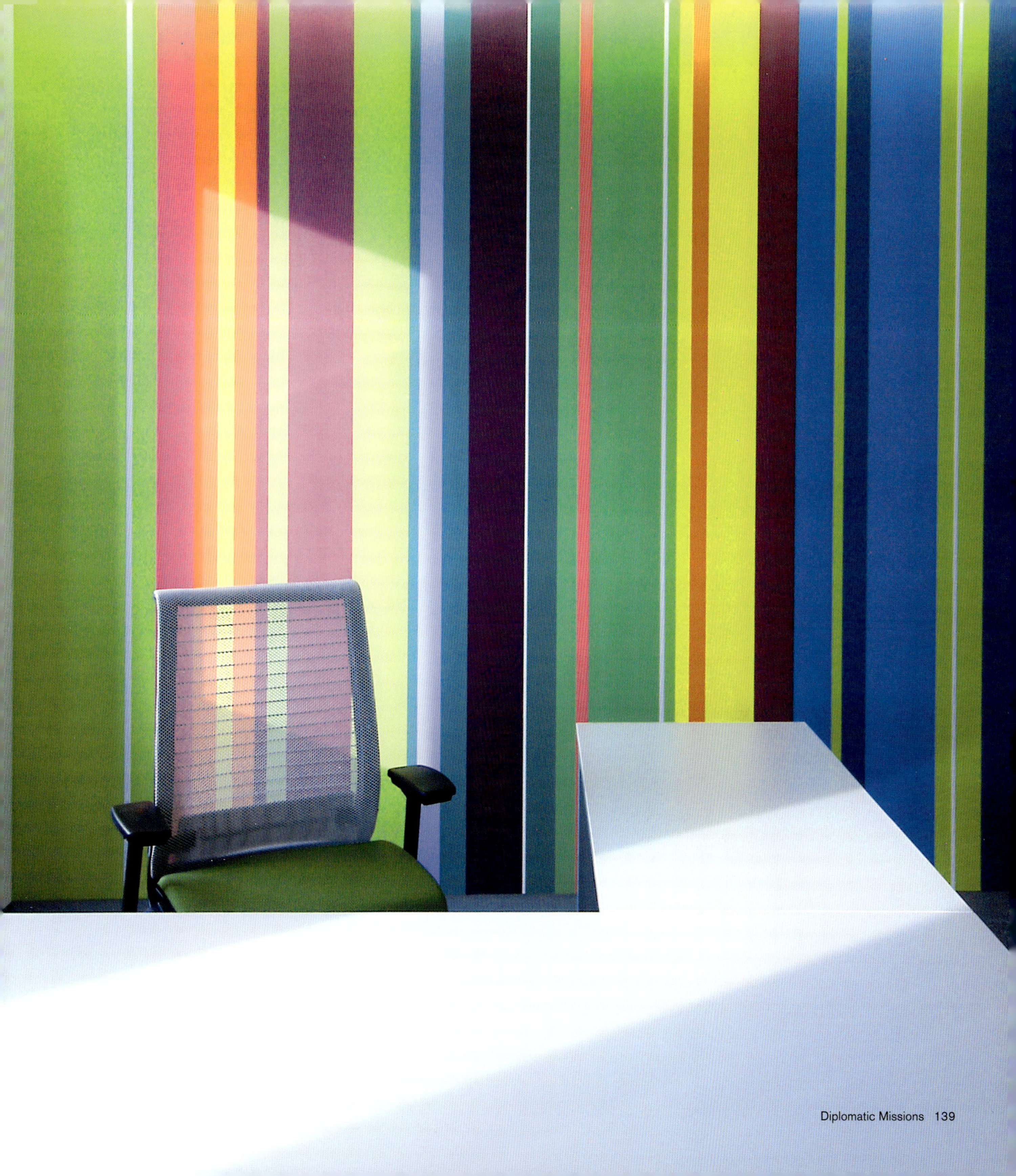

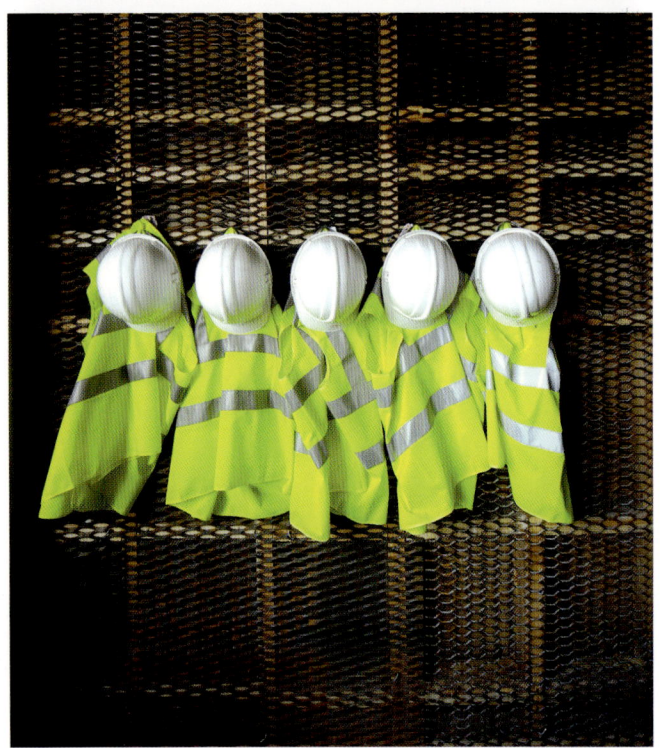

Wandgestaltung mit gepunkteter
Nationalflagge (oben),
Eingangsbereich (rechts)

*Wall pattern with dotted
Union Jack (top),
lobby area (right)*

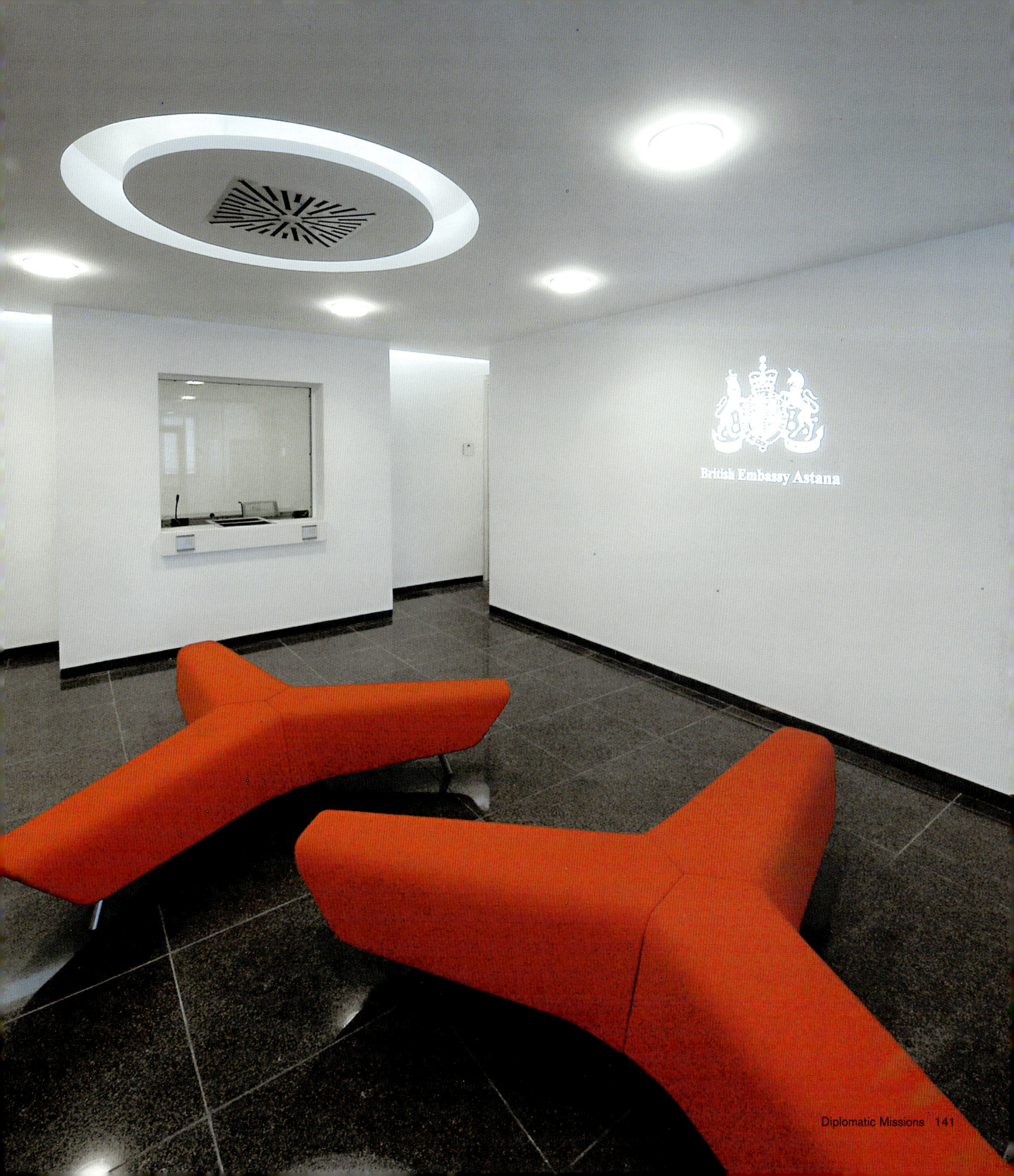
British Embassy Astana

Schweizerische Botschaft
Swiss Embassy
Astana

Bauherr
Bundesamt für Bauten und Logistik

Projektadresse
ul. Kosmonawtow 62
Astana

Zeitraum
2008–2009

Auch die Botschaft der Schweiz hat sich in dem Bürohaus in Astana eingerichtet und sitzt dort in der achten Etage. Ähnlich wie die Nachbar-Vertretungen Frankreichs, Großbritanniens und Deutschlands präsentiert sich die Eidgenossenschaft mit einer Gestaltung, die auf differenzierte und abstrakte Weise mit der nationalen Symbolik des weißen Kreuzes auf rotem Grund anspielt und dem Besucher augenfällig signalisiert, auf wessen Hoheitsgebiet er sich befindet. Mit dem Umzug der Hauptstadtfunktionen von Almaty nach Astana wurde das gleichfalls verlagerte Generalkonsulat, das bislang die einzige Vertretung der Schweiz in Kasachstan war, zur ordentlichen Botschaft. Durch den Beitritt der Schweiz zum Schengen-Abkommen im Dezember 2008 kamen auf die Mitarbeiter in der Vertretung zusätzliche Aufgaben insbesondere im Bereich der Einreise-Administration zu, so dass zusätzlich zu Kanzlei und Büroräumen eine separate Visa-Abteilung eingerichtet wurde. Das Mobiliar für die gesamte Botschaft wurde aus der Schweiz importiert. Mit den neuen Räumlichkeiten präsentiert sich die Alpenrepublik als modernes europäisches Land, das nicht mit den Klischees rustikal-alpiner Optik aufwartet, sondern mit zeitgemäßem, frischem Design überrascht.

When the Kazakh capital moved to Astana, the Swiss upgraded their consulate general into an embassy and established a separate visa department to meet requirements arising from Swiss accession to the Schengen Agreement in 2008. On the eighth floor of a block shared with France, the UK, and Germany, the new premises avoid Alpine clichés, presenting Switzerland as a modern European country with fresh contemporary design. All furnishings were imported from Switzerland, and a sophisticated abstract design based on the national flag leaves visitors in no doubt about where they are.

Diplomatic Missions 143

144 Diplomatic Missions

Diplomatic Missions 145

Kanadische Botschaft
Canadian Embassy
Astana

Bauherr
Department of Foreign Affairs and International Trade (DFAIT)

Project Management
MMM Group

Entwurf
Zeidler Partnership Architects

Freiraumplanung
Alvin David Regehr Landscape Architect

Zeitraum
2008–2010

Bei der Errichtung der Botschaft Kanadas, einem Neubau mit Blick auf den neo-stalinistischen *Triumf Astana*, war vor allem die langjährige Erfahrung des Büros mit sensiblen internationalen Bauprojekten in Kasachstan gefragt. Als Projektsteuerer standen nun andere Prioritäten im Fokus: die Wahrnehmung der Interessen des Bauherrn, die permanente Vertretung vor Ort, die Verhandlung mit den Baubeteiligten, das Management des gesamten Bauablaufs. Die Realisierung des Gebäudes nach dem Entwurf des Architekturbüros Zeidler Partnership aus Toronto war angesichts der extremen klimatischen Bedingungen Zentralasiens eine besondere Herausforderung: bauphysikalisch, logistisch und technisch. In regelmäßigen Wochen- und Quartalsberichten wurde der Fortgang der Arbeiten für die Auftraggeber dokumentiert; eine landeskundige Vertretung des Büros vor Ort sorgte bei unvorhergesehenen Zwischenfällen für rasche Klärung. So war zum Beispiel eine besondere Behandlung des Betons erforderlich, der normalerweise eine gewisse Mindesttemperatur zum Abbinden benötigt, die jedoch in den langen, harten Wintern Kasachstans nur selten erreicht wird.

To build the new Canadian embassy facing the neo-Stalinist Triumph of Astana, Zeidler Partnership of Toronto, Canada, required a partner experienced in managing international projects in Kazakhstan. Project management here meant representing the client's interests, maintaining a permanent presence on site, and negotiating with local contractors. Rapid problem-solving and regular progress reports were also part of the brief. The extreme climate presented great physical, technical, and logistical challenges. For example, the concrete needed special treatment to set in the intensely cold Kazakh winter.

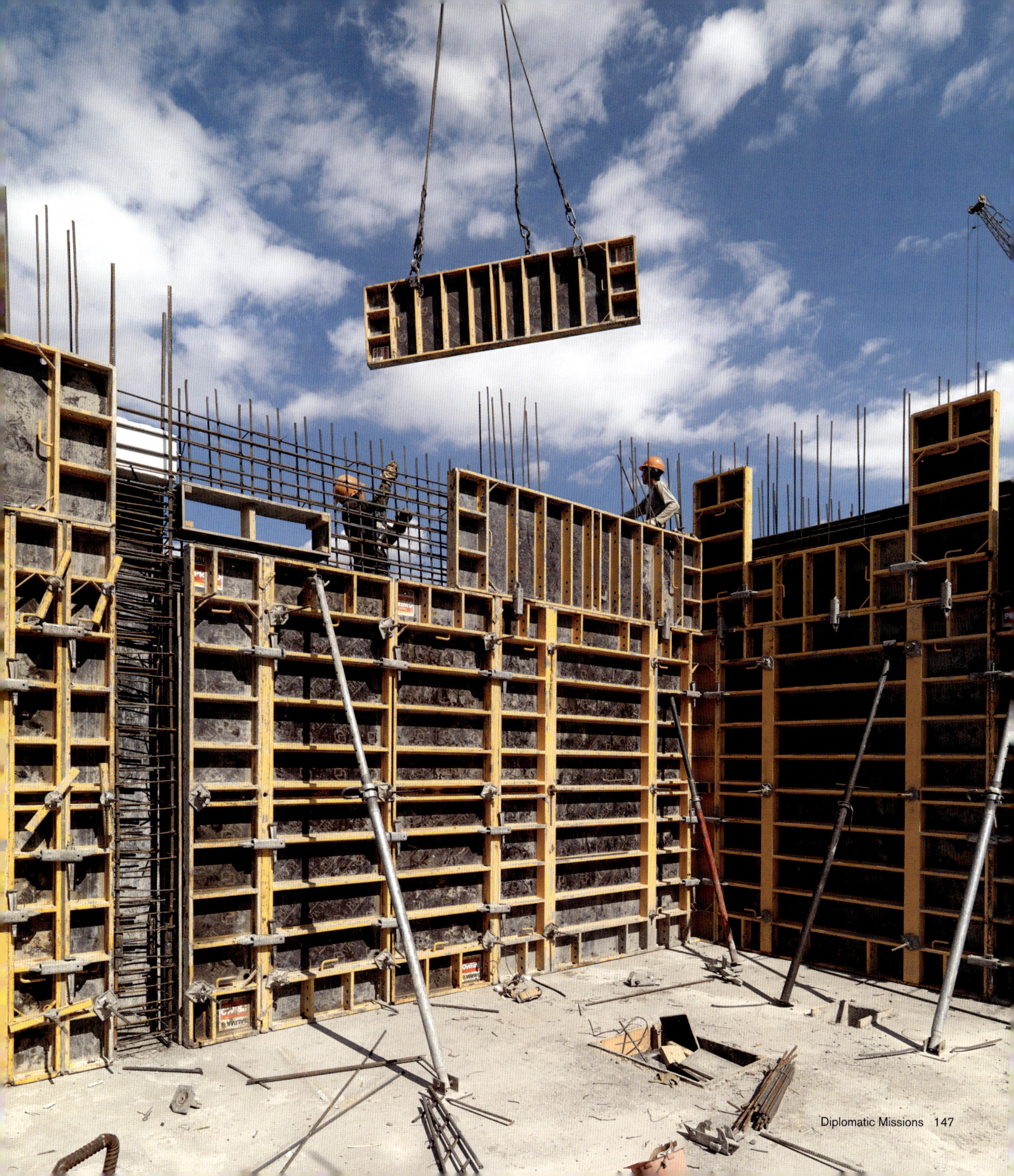

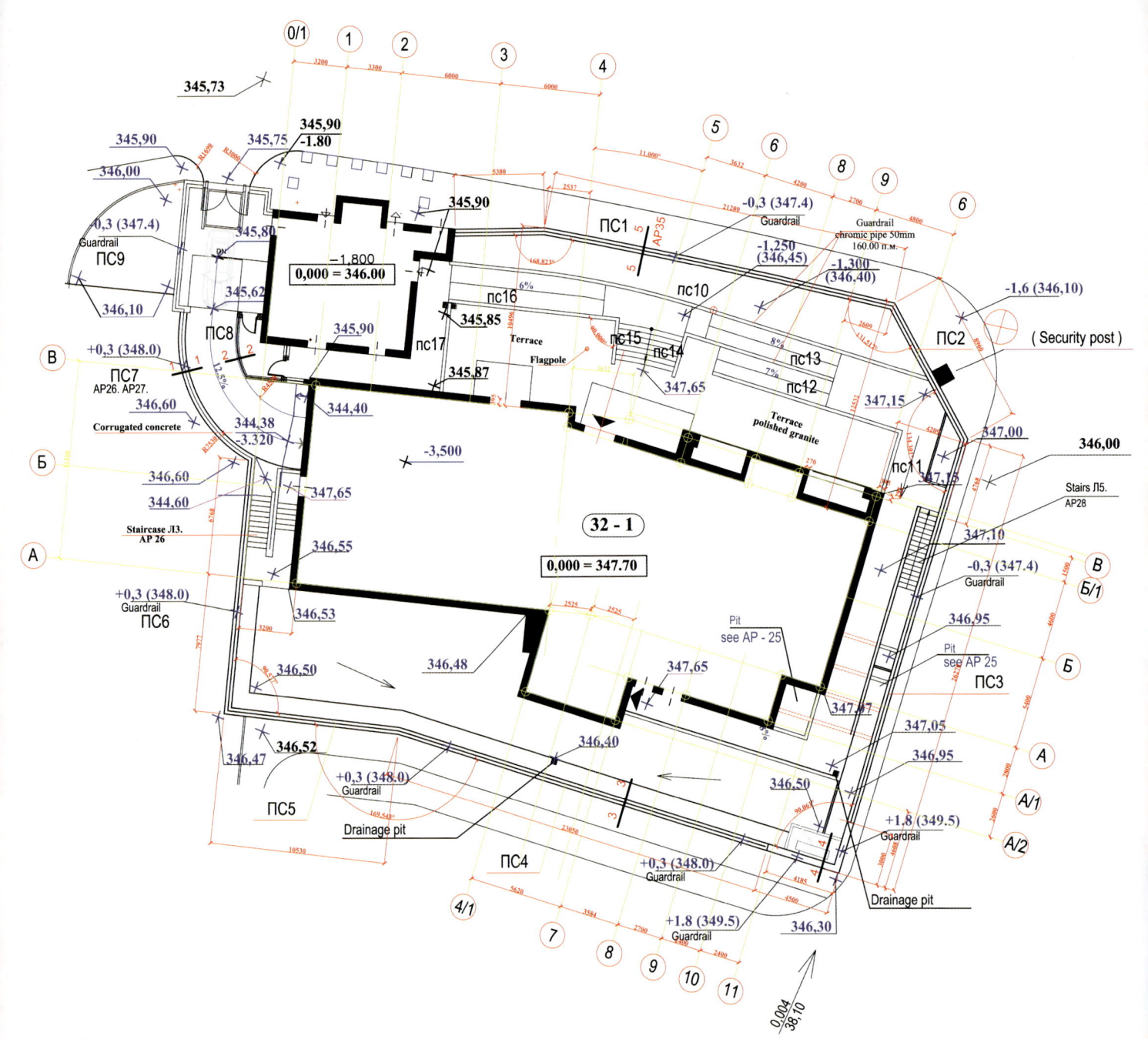

Außenanlagenplan
Exterior plan

Diplomatic Missions 149

150 Diplomatic Missions

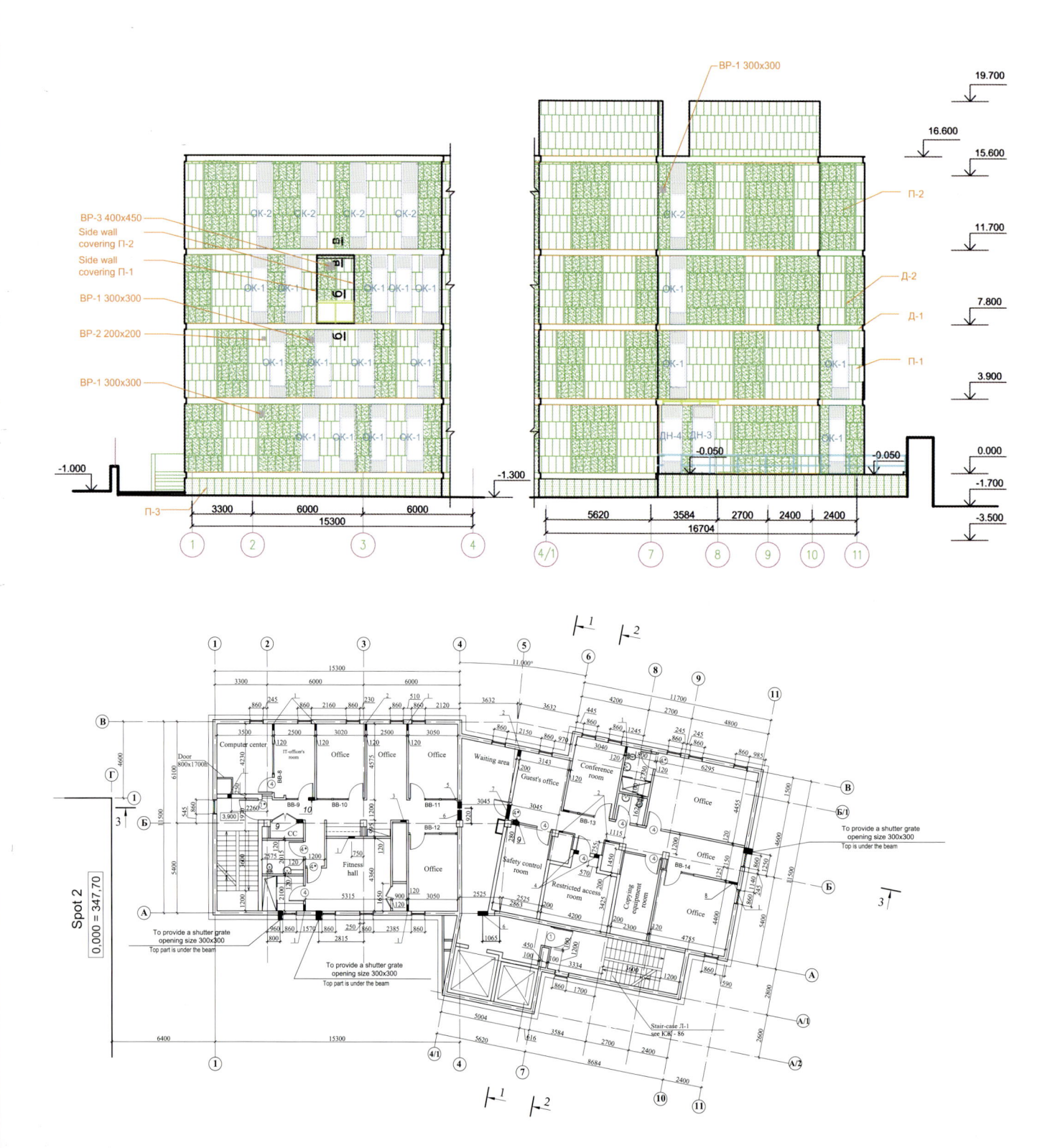

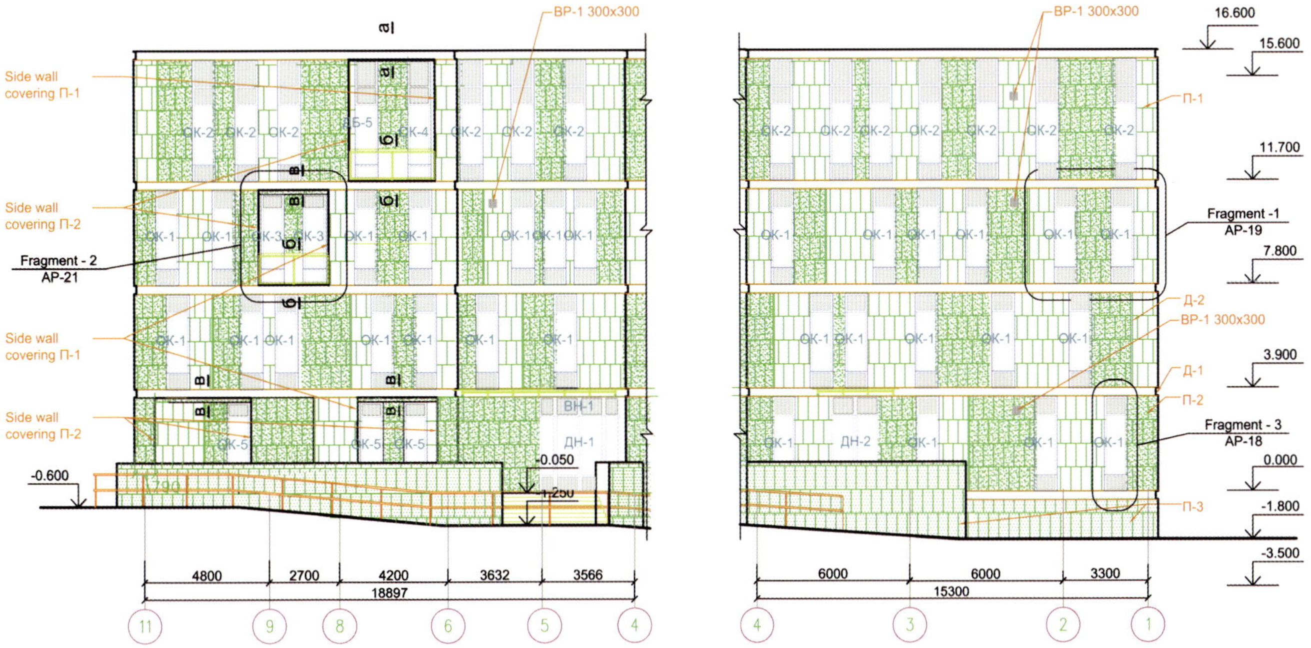
ВР-1 300x300
Side wall covering П-1
Side wall covering П-2
Fragment - 2
AP-21
Side wall covering П-1
Side wall covering П-2
-0.600
-0.050
-1.250
4800
2700
4200
3632
3566
18897
11
9
8
6
5
4
ВР-1 300x300
16.600
15.600
П-1
11.700
Fragment -1
AP-19
7.800
Д-2
ВР-1 300x300
3.900
Д-1
П-2
Fragment - 3
AP-18
0.000
П-3
-1.800
-3.500
6000
6000
3300
15300
4
3
2
1

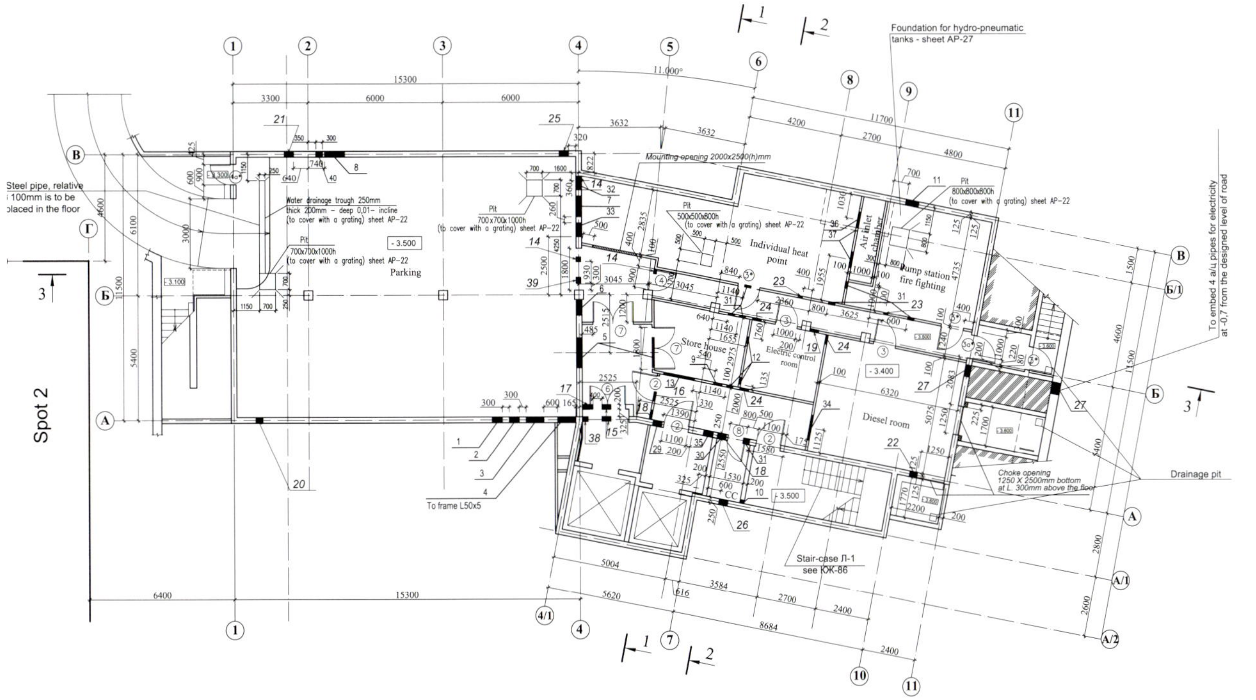
Spot 2
Foundation for hydro-pneumatic tanks - sheet AP-27
Mounting opening 2000x2500(h)mm
Steel pipe, relative
Water drainage trough 250mm
Parking
Individual heat point
Air inlet chamber
Pump station fire fighting
Store house
Electric control room
Diesel room
To frame L50x5
Stair-case Л-1
see КЖ-86
Choke opening 1250 X 2500mm bottom at L. 300mm above the floor
Drainage pit
To embed 4 a/u pipes for electricity at -0,7 from the designed level of road

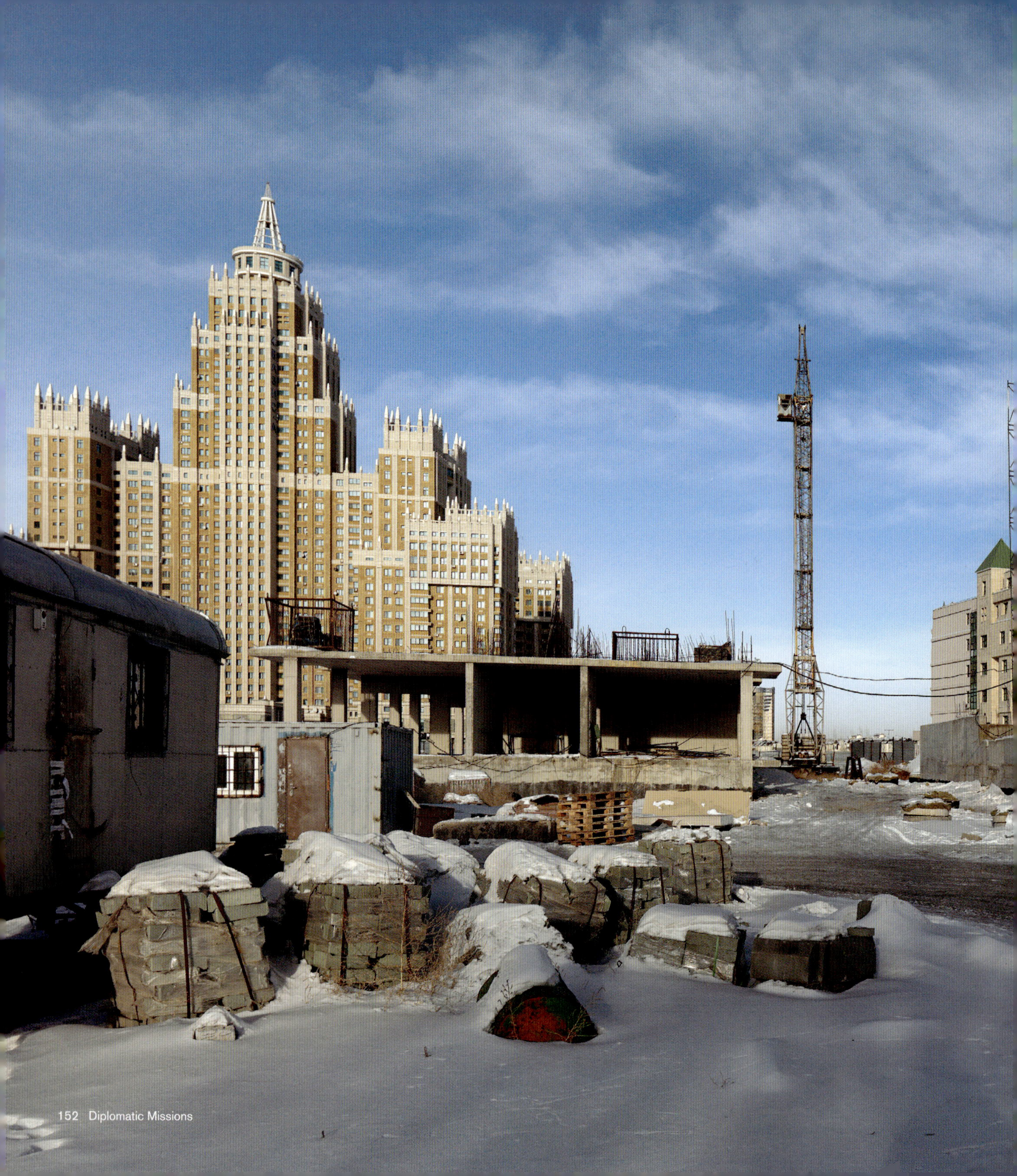

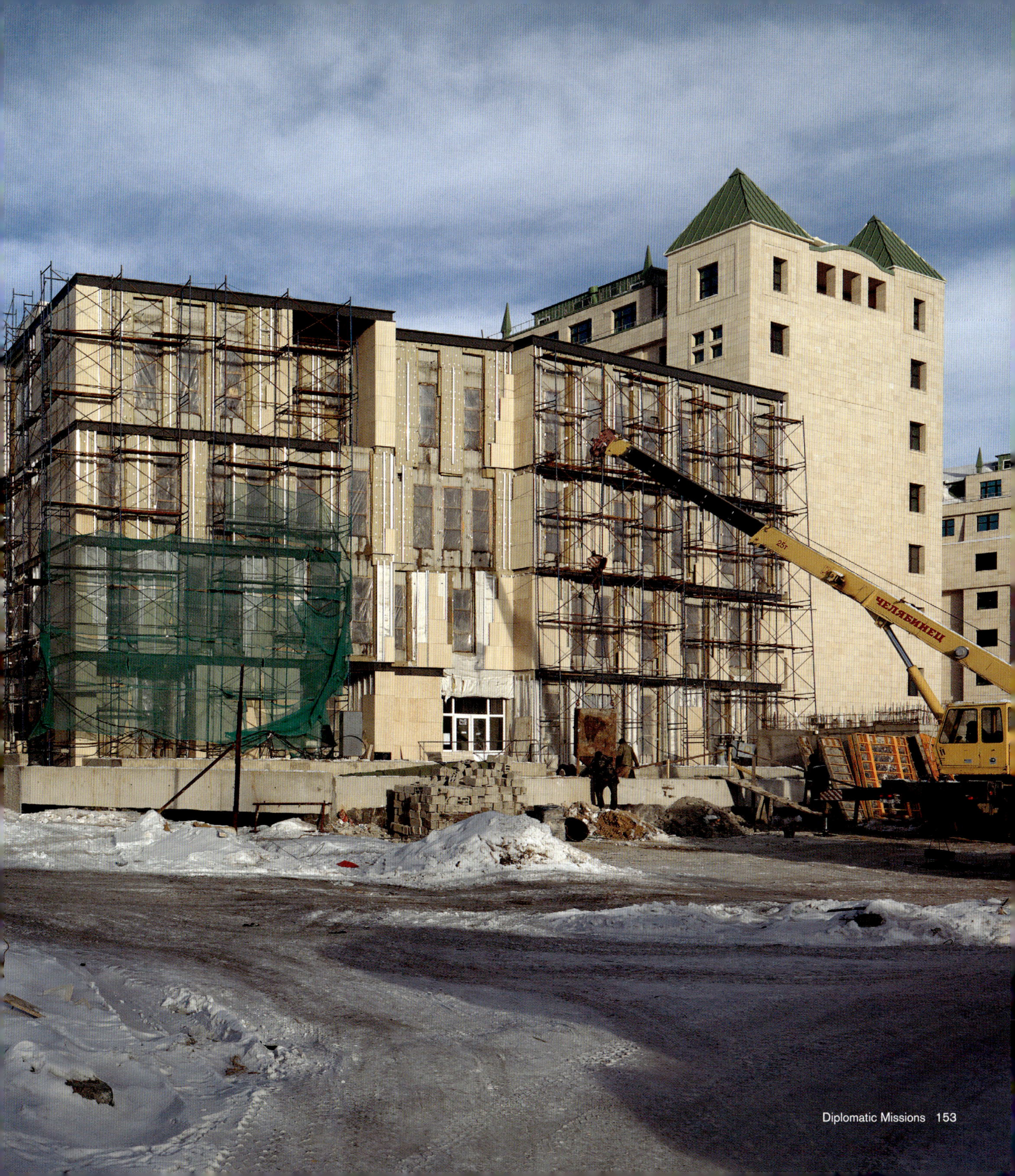
ЧЕЛЯБИНЕЦ

Straßenperspektive von Zeidler Partnership Architects (oben), Gestaltung des Sicherheitszauns von Alvin David Regehr Landscape Architect (rechts)

Street view by Zeidler Partnership Architects (top), security fence design by Alvin David Regehr Landscape Architect (right)

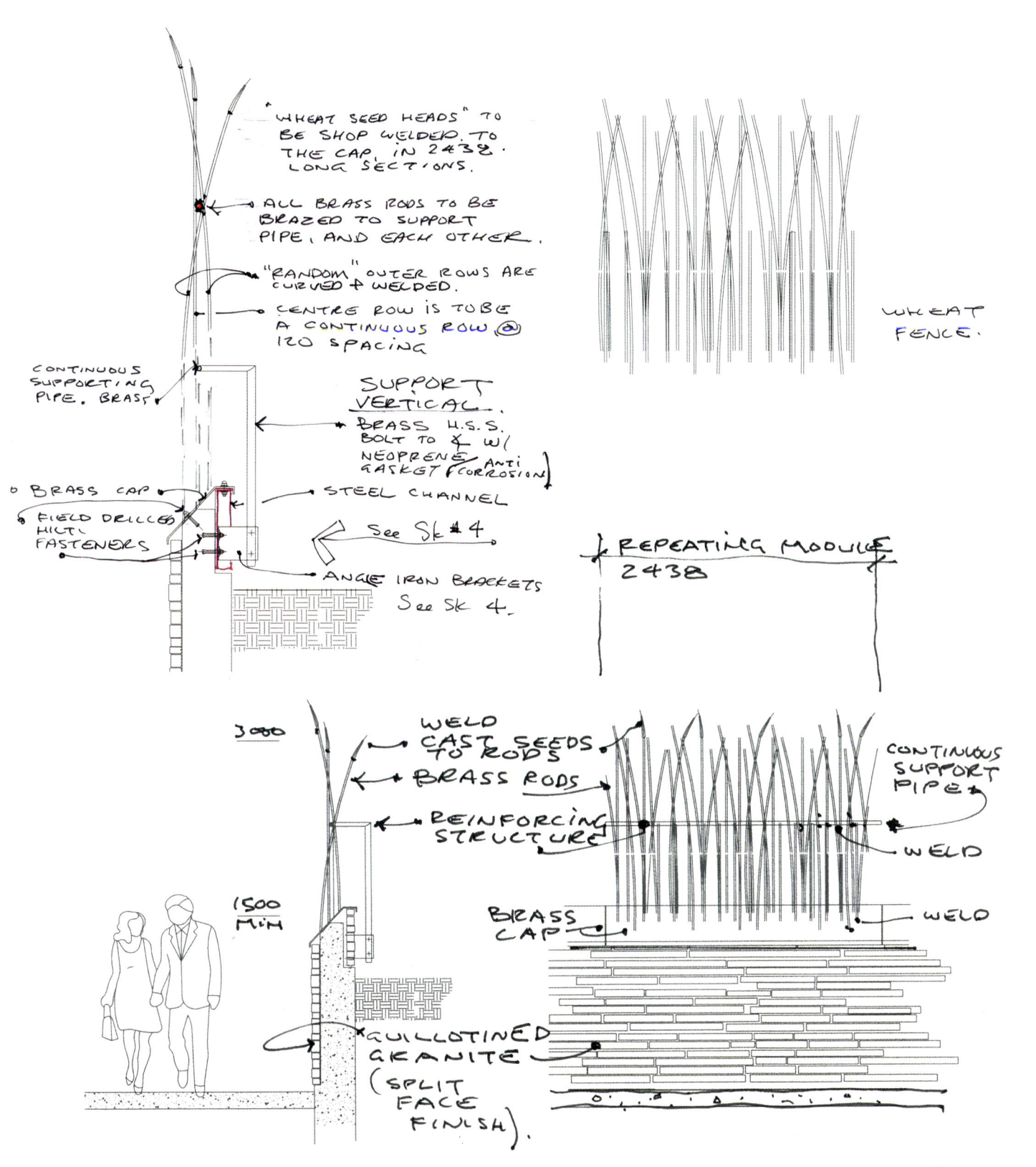

"WHEAT SEED HEADS" TO BE SHOP WELDED TO THE CAP, IN 2438 LONG SECTIONS.

ALL BRASS RODS TO BE BRAZED TO SUPPORT PIPE, AND EACH OTHER.

"RANDOM" OUTER ROWS ARE CURVED & WELDED.

CENTRE ROW IS TUBE A CONTINUOUS ROW @ 120 SPACING

CONTINUOUS SUPPORTING PIPE. BRASS

SUPPORT VERTICAL. BRASS H.S.S. BOLT TO ₵ W/ NEOPRENE GASKET (ANTI CORROSION)

BRASS CAP

FIELD DRILLED HILTI FASTENERS

STEEL CHANNEL

See Sk #4

ANGLE IRON BRACKETS See Sk 4.

WHEAT FENCE.

REPEATING MODULE 2438

3000

1500 MIN

WELD CAST SEEDS TO RODS

BRASS RODS

REINFORCING STRUCTURE

CONTINUOUS SUPPORT PIPE

WELD

BRASS CAP

WELD

GUILLOTINED GRANITE (SPLIT FACE FINISH)

Diplomatic Missions 155

156 Diplomatic Missions

Diplomatic Missions · 157

158   Diplomatic Missions

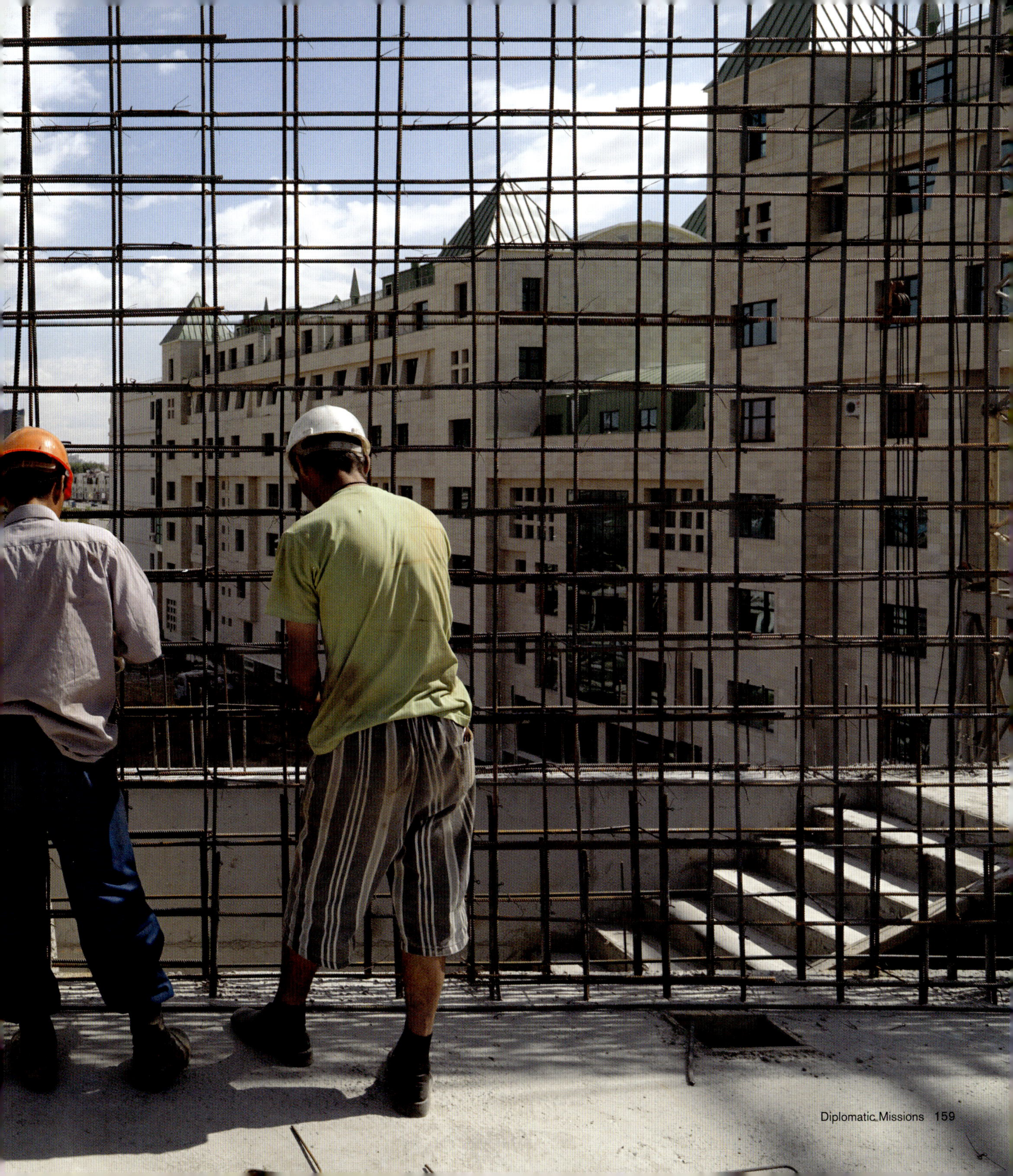

Anhang
Annex

Natascha Meuser
Curriculum

Jahrgang 1967, Dipl.-Ing. Architektin BDA (AK Berlin 08182). Geschäftsführerin der Meuser Architekten GmbH.

1987 bis 1991 Studium der Innenarchitektur an der Fachhochschule Rosenheim (Abschluss: Diplom). 1991 bis 1993 Studium der Architektur am Illinois Institute of Technology in Chicago (Abschluss: Master of Architecture). Studienbegleitende Arbeitsaufenthalte und Stipendien in Griechenland (Bühnenbild) und Italien (Malerei). 1993 Auszeichnung durch das Art Institute of Chicago mit dem Harold Schiff Fellowship. 1994 Umzug nach Berlin und bis 1996 Mitarbeit bei Krier/Kohl Architekten sowie Thomas Baumann.

Ab 1995 eigene Architekturprojekte. 1999 bis 2002 Autorin der Tageszeitung *Der Tagesspiegel* mit der eigenen Kolumne *Berliner Zimmer.* 2000 Berufung in den Bund Deutscher Architekten BDA.

2000 bis 2005 wissenschaftliche Mitarbeiterin an der Technischen Universität Berlin im Lehrgebiet Baurecht und Bauverwaltungslehre. Koordination und Durchführung internationaler Studentenworkshops im Rahmen des UIA 2002 in Berlin sowie an der American University of Sharjah (2004).

Seit 2004 internationale Planungs- und Bauprojekte mit Schwerpunkt Osteuropa und Asien. Realisierung von zahlreichen Botschaftsprojekten, u. a. für die deutsche, britische, französische, schweizerische und kanadische Botschaft in Astana/Kasachstan. 2005 bis 2006 Generalplaner für das Theater in der Spielbank Berlin. Planung und Realisierung von exklusiven Appartements und Villen in Deutschland und Russland. Seit 2008 verschiedene Bauvorhaben für den Spielzeughersteller Schleich, u. a. Erweiterung der Hauptverwaltung sowie die weltweite Umsetzung des Corporate Design in *Schleich Shops.*

2008 Beauftragung als Generalplaner für die Deutsche Botschaft Sarajewo/Bosnien und Herzegowina. 2009 Beauftragung als Generalplaner für die Deutsche Botschaft New Delhi/Indien, ein von der Bundesregierung ausgewähltes Pilotprojekt zur Kohlendioxid-Reduzierung bei Bundesbauten.

Regelmäßige Vorträge in Unternehmernetzwerken sowie zahlreiche Publikationen mit Schwerpunkt Innenarchitektur.

Born in 1967, Natascha holds a Dipl.-Ing. degree in architecture and is a member of the German architects' association BDA. She is co-manager of Meuser Architekten GmbH.

From 1987 to 1991 Natascha studied interior design at the Fachhochschule Rosenheim. After taking her degree in 1991 she moved to Chicago to study architecture at the Illinois Institute of Technology, where she took a Master of Architecture in 1993. Alongside her academic studies she held placements and scholarships in Greece (set design) and Italy (painting). In 1993 she won the Art Institute of Chicago's Harold Schiff Fellowship. In 1994 she moved to Berlin where until 1996 she worked with Krier / Kohl Architekten and Thomas Baumann.

Natascha has been managing her own architecture projects since 1995. From 1999 to 2002 she wrote the column *Berliner Zimmer* for *Der Tagesspiegel,* one of Berlin's major daily newspapers. In the year 2000 she was invited to join the German architects' association, Bund Deutscher Architekten BDA.

From 2000 to 2005 Natascha taught classes on Building Law and Building Administration at the Berlin University of Technology. She also organized and coordinated international student workshops at the UIA 2002 in Berlin and at the American University of Sharjah (2004).

Since 2004 her planning and building projects have increasingly been focussed in eastern Europe and Asia, where she was responsible for numerous embassy buildings, including the Swiss, German, British, French, and Canadian embassies in Astana / Kazakhstan. From 2005 to 2006 she held the position of general planner for the Theater in der Spielbank Berlin. Natascha has planned and realized exclusive apartments and villas in Germany and Russia. Since 2008 she has also realized a number of projects for toy manufacturer Schleich, including an annexe to the central administration and the implementation of the Schleich corporate design in Schleich shops around the world.

In 2008 Meuser Architekten won the contract for general planning for the German embassy in Sarajevo / Bosnia and Herzegovina, and in 2009, for the German embassy in New Delhi / India. This project is part of a pilot project for CO_2 reductions in German government buildings.

Philipp Meuser
Curriculum

Jahrgang 1969, Dipl.-Ing. Architekt BDA (AK Berlin 09110). Geschäftsführer der Meuser Architekten GmbH.

1991 bis 1995 Studium der Architektur an der Technischen Universität Berlin und Stipendiat der Konrad-Adenauer-Stiftung (Journalistische Nachwuchsförderung). Praktikum beim *Westdeutschen Rundfunk* in Köln und bei der *Bauwelt*. Von 1995 bis 1996 redaktionelle Tätigkeit im Feuilleton der *Neuen Zürcher Zeitung,* begleitendes Nachdiplomstudium Geschichte und Theorie der Architektur an der Eidgenössischen Technischen Hochschule Zürich (Abschluss 1997).

1996 bis 2001 Politikberater des Senators für Stadtentwicklung im Rahmen des *Stadtforums Berlin*. 2000 Berufung in den Bund Deutscher Architekten BDA. Seit 2001 verschiedene Projekte als Kurator für Goethe-Institute in der ehemaligen Sowjetunion, u. a. Begleitung einer Architekturausstellung im *Deutsch-Russischen Kulturjahr 2003/2004* entlang der transsibirischen Eisenbahn. 2002 bis 2005 Leitung von Meisterklassen in Russland, Kasachstan und Usbekistan. 2004 Lehrauftrag an der *Habitat Unit* der Technischen Universität Berlin.

Seit 2004 internationale Planungs- und Bauprojekte mit Schwerpunkt Osteuropa und Asien. Realisierung von zahlreichen Botschaftsprojekten, u. a. für die deutsche, britische, französische, schweizerische und kanadische Botschaft in Astana/Kasachstan. 2005 bis 2006 Generalplaner für das Theater in der Spielbank Berlin. Planung und Realisierung von exklusiven Appartements und Villen in Deutschland und Russland. Seit 2008 verschiedene Bauvorhaben für den Spielzeughersteller Schleich, u. a. Erweiterung der Hauptverwaltung sowie die weltweite Umsetzung des Corporate Design in *Schleich Shops*.

2008 Beauftragung als Generalplaner für die Deutsche Botschaft Sarajewo/Bosnien und Herzegowina. 2009 Beauftragung als Generalplaner für die Deutsche Botschaft New Delhi/Indien, ein von der Bundesregierung ausgewähltes Pilotprojekt zur Kohlendioxid-Reduzierung bei Bundesbauten. Kuratorentätigkeit für die Stadt Köln im Rahmen der *Regionale 2010*.

Regelmäßige Vorträge im In- und Ausland sowie zahlreiche Publikationen mit den Schwerpunkten *Gesundheitsbauten* und *Architekturgeschichte der Sowjetunion*.

Born in 1969, Philipp holds a Dipl.-Ing. degree in architecture and is a member of the German architects' association BDA. He is co-manager of Meuser Architekten GmbH.

From 1991 to 1995 Philipp studied architecture at the Berlin University of Technology. He won a scholarship for young journalists from the Konrad-Adenauer-Stiftung and held placements with Cologne-based broadcaster *Westdeutscher Rundfunk* and with the architectural journal *Bauwelt*. From 1995 to 1996 he worked in the editorial department of the major Swiss daily, *Neue Zürcher Zeitung,* while following a postgraduate course on History and Theory of Architecture at the Swiss Federal Institute of Technology in Zurich, which he completed in 1997.

From 1996 to 2001 Philipp held a consulting position within the *Stadtforum Berlin* as an advisor to the Senator of Urban Development. In the year 2000 Philipp was invited to join the German architects' association, Bund Deutscher Architekten BDA. Since 2001 he has curated various projects for Goethe Institutes in the former Soviet Union, including an architecture exhibition travelling along the route of the Trans-Siberian Railway in the German-Russian Year of Culture in 2003/04. From 2002 to 2005 he taught master classes in Russia, Kazakhstan, and Uzbekistan, and in 2004 he held a teaching appointment in the *Habitat Unit* of the Berlin University of Technology.

Since 2004 his planning and building projects have increasingly been focussed in eastern Europe and Asia, where he was responsible for numerous embassy buildings, including the German, British, French, Swiss, and Canadian embassies in Astana/Kazakhstan. From 2005 to 2006 he held the position of general planner for the *Theater in der Spielbank Berlin*. Philipp has planned and realized exclusive apartments and villas in Germany and Russia. Since 2008 he has also realized a number of projects for toy manufacturer Schleich, including an annexe to the central administration and the implementation of the Schleich corporate design in Schleich shops around the world.

In 2008 Meuser Architekten won the contract for general planning for the German embassy in Sarajevo/Bosnia and Herzegovina, and in 2009, for the German embassy in New Delhi/India. The project in New Delhi is part of a pilot project for CO_2 reductions in German government buildings.

Veröffentlichungen
Publications

Natascha Meuser (Auswahl)

Salons der Diplomatie. Zu Gast bei Berliner Exzellenzen.
Berlin 2008 (mit Kirsten Baumann)

Ambassadors' Residences.
Berlin 2008 (mit Kirsten Baumann)

Decorating Flowers.
Berlin 2008

Decorating Home.
Berlin 2008

Making of Belle et Fou. Das Theater der Sinne.
Berlin 2006

Monatliche Illustrationen für die Kolumne *Machträume* in der Zeitschrift *CICERO – Magazin für politische Kultur.*
Zeitraum: 2004–2007

Sechsteilige Serie *Berliner Residenzen* für die Tageszeitung *Der Tagesspiegel.* 2003

Berliner Residenzen. Zu Gast bei den Botschaftern der Welt.
Berlin 2002 (mit Kirsten Baumann)

Zehn Highlights der Museumsinsel. In: Carola Wedel (Hg.): *Die neue Museumsinsel. Der Mythos. Der Plan. Die Vision.*
Berlin 2002

Wöchentliche Kolumne *Berliner Zimmer* für die Tageszeitung *Der Tagesspiegel.* (100 Teile)
Zeitraum: 2000–2002

Philipp Meuser (Auswahl)

Zeitgenössische Architektur

Kasachstan – Architektonisches Versuchslabor in der Steppe. In: *Simone Voigt: Contemporary Architecture in Eurasia. Bauten und Projekte in Russland und Kasachstan.* Berlin 2009

Russia Now. Modernes Russland. Architektur und Design der Gegenwart. Berlin 2008 (mit Bart Goldhoorn)

Lust auf Raum. Neue Innenarchitektur in Russland. Berlin 2007 (mit Bart Goldhoorn)

Stadt und Haus. Berlinische Architektur im 21. Jahrhundert. Berlin 2007 (mit Fried Nielsen)

Schlossplatz Eins. European School of Management and Technology. Berlin 2006[1]/2009[2]

Capitalist Realism. Neue Architektur in Russland. Berlin 2006 (mit Bart Goldhoorn)

Neue Krankenhausbauten in Deutschland. Berlin 2006 (mit Christoph Schirmer)

Raumzeichen. Architektur und Kommunikations-Design. Berlin 2005 (mit Daniela Pogade)

Pläne Projekte Bauten. Architektur und Städtebau in Leipzig 2000 bis 2015. Berlin 2005 (mit Engelbert Lütke-Daldrup und Daniela Pogade)

Berlin im Fluss. Ein Architekturführer entlang der Spree. Floating Berlin. New Architecture along the Waterfront. Berlin 2004

Projekte, Pläne, Bauten. Architektur und Städtebau in Köln 2000–2010. Berlin 2003 (mit Klaus Otto Fruhner und Andrea Platena)

Vom Plan zum Bauwerk. Bauten und Projekte in der Berliner Innenstadt seit 2000. Berlin 2002 (mit Hans Stimmann)

Neue Gartenkunst in Berlin. New Garden Design in Berlin. Berlin 2001 (mit Hans Stimmann und Erik-Jan Ouwerkerk)

Architekturgeschichte

Zwischen Stalin und Glasnost. Sowjetische Architektur 1960–1990. Berlin 2009 (mit Jörn Börner und Caroline Uhlig)

Experiments with Convention. European Urban Planning from Camillo Sitte to New Urbanism. In: Krier, Rob: *Town Spaces. Contemporary Interpretations in Traditional Urbanism.* Basel/Berlin/Boston 2003

Berlin. Der Architekturführer. Berlin 2001[1] (mit Markus S. Braun, Rainer Haubrich und Hans Wolfgang Hoffmann)

Vom Fliegerfeld zum Wiesenmeer. Flughafen Berlin-Tempelhof. Berlin 2000

Geschichte der Architektur des 20. Jahrhunderts. Köln 1998 (mit Hans Wolfgang Hoffmann und Jürgen Tietz)

Handbuch und Planungshilfe

Handbuch und Planungshilfe: Arztpraxen. Berlin 2010

Handbuch und Planungshilfe: Signaletik und Piktogramme. Berlin 2010 (mit Daniela Pogade)

Handbuch und Planungshilfe: Apotheken. Berlin 2009 (mit Dörte Becker †)

Handbuch und Planungshilfe: Barrierefreie Architektur. Berlin 2009 (mit Joachim Fischer)

Sonstige Themen

Sehnsucht nach Europa. Urbane Skizzen aus Afrika, Amerika und Asien. Berlin 2003

Rückkehr nach Kabul. Eine fotografische Zeitreise. Berlin 2003. (mit Gerd Ruge und Georg W. Gross)

Unsichtbarer Städtebau. Die Modernisierung der Berliner Stadttechnik. In: Berliner Festspiele/AK Berlin (Hg.): *Berlin: Offene Stadt. Die Erneueuerung seit 1989.* Berlin 1999

Zeitschriften und Tageszeitungen (Auswahl)

Der Tagesspiegel

Der Senkrechtstarter. Dominique Perrault, Architekt.
20. November 1993

Bauen nach Bildern. Christopher Alexander vertritt neue Entwurfsmethoden der Architektur. 16. Juli 1994

Statt Urlaub Stadturlaub. Spaßbäder überflügeln Stadtbäder.
14. August 1994

Das Eisenbahnkreuz und die Europolis. Die nordfranzösische Stadt Lille wird Verkehrsknotenpunkt der europäischen Hochgeschwindigkeitszüge. 21. September 1994

Marzahner Mischung. Die größte deutsche Plattenbausiedlung wird bislang nur kosmetisch behandelt. 29. Dezember 1994

Auf dem Weg zu neuen Ufern. Fünf Jahre nach der Unabhängigkeit sucht Lettland ein Profil für seine Hauptstadt Riga.
8. Februar 1995

Die bestellte Hauptstadt. Kasachstan ist ein junger Staat. Und der Präsident hat sich dafür ein neues Zentrum gewünscht.
13. Januar 2002

Nächster Halt: Kabul. Termez war eine verbotene Stadt an der Grenze zu Afghanistan. Kein Fremder durfte sie betreten.
24. Februar 2002

Zwischen Koran und Coca-Cola. Städtebauer und Architekten diskutieren über den Wiederaufbau von Kabul.
27. Dezember 2002

Frankfurter Rundschau

Verfall einer Idee. Das architektonische DDR-Erbe in Eisenhüttenstadt. 6. August 1994.

Ein ganzer Stadtteil für die Medien. Der Mediapark nahe des Kölner Hauptbahnhofs liegt im Trend neuer Gewerbesiedlungen.
25. August 1994

Marzahner Mischung. Die städtebaulichen Probleme in Deutschlands größter Retortensiedlung. 26. November 1994

Gestern Kohlerevier – morgen Europolis. Die Stadt der Zukunft: Lille als europäische Verkehrsmetropole. 3. Januar 1995

Abschied von Scharoun. Zur Entscheidung im Wettbewerb für das Berliner Kulturforum. 3. März 1998

Bilderflut und Farbenpracht. Eine postsozialistische Musterstadt: das Kirchsteigfeld in Potsdam. 6. März 1998

Das Ende der Utopie. Berliner Stadtbaukunst zwischen Erneuerung und Umbau. 9./10. April 1998

Unvollendete Utopien. Wie zukunftsfähig sind die Wohnmaschinen der Moderne? Ein deutsches Tabu. 5. August 1998

Der Müll der Stadt. Plädoyer für eine Ästhetik des öffentlichen Raums. 8. Dezember 1998

Vom Anwalt zum Manager. Berliner Beispiele für ein neues Selbstverständnis der Denkmalpflege. 29. Oktober 1999

Glaubensfragen. Lob der Platte: Das industrielle Bauen in Taschkent bietet Überraschungen. 24. April 2001

Neue Zürcher Zeitung

Funktionsmischung an der Peripherie. Integration der Plattenbausiedlungen in Berlins Osten. 4. Februar 1995

Der steinerne Koloss auf dem Eiland. Hans Kollhoffs Wohnungsüberbauung im Amsterdamer Hafen. 3. März 1995

Die Ästhetisierung des Unfertigen. Berliner Architektur zwischen Werden und Vergehen. 23. Mai 1995

Simulierte Architektur. Zum Werk des Japaners Toyo Ito.
7./8. Oktober 1995

Understatement und Visionen. Der niederländische Architekt Ben van Berkel. 2. Februar 1996

Stadt als Ressource. Zur Architektur von Matthias Sauerbruch und Louisa Hutton. 25. November 1996

Generatoren für theoretische Ideen. Ein Gespräch mit den New Yorker Architekten Williams & Tsien. 12. Januar 1998

Schauplatz Warschau. Distanz zur Stadt. Urbanistische Entwicklung im Schatten des Kulturpalastes. 17. März 1998

Mentale Mobilität. Alternativen zur autogerechten Planung der Moderne. 12. April 1999

Eine orientalische Burg. Das Parlamentsgebäude von Louis I. Kahn in Dhaka. 17./18. Februar 2001

Schauplatz Kasachstan: Öko-Stadt zwischen Steppe und Sumpf. Kisho Kurokawas Masterplan für die Hauptstadt Astana. 21. Dezember 2001

Der Wiederaufbau von Kabul. Ein neuer Masterplan für die afghanische Hauptstadt. 31. Januar 2003

Stars und Lokalmatadoren. Wettbewerb zur Erweiterung des Mariinsky-Theaters. 17. März 2003

Wo Lenin noch nach Moskau blickt. Neue Architektur in Kirgistans Hauptstadt Bischkek. 2. Mai 2003

Berliner Zeitung
Al-Capone-Time zwischen Tallinn und Sofia. Metropolen in Osteuropa entdecken ihre Zentren wieder. 28. April 1998

Revolution im Knast. Ein spektakulärer Gefängnis-Neubau in Gelsenkirchen. 3. Juni 1998

District Six lebt nicht mehr. Wie ein zerstörtes Quartier in Kapstadt zum Gradmesser einer neuen Politik wird. 27./28. Juni 1998

Untergang einer Utopie. Soziale Stadtentwicklung in den USA: Chicago reißt seine Armutsviertel ab. 15./16. Mai 1999

Von Greenpeace lernen. Wenn Konservatoren zu Managern werden, kann auch Denkmalschutz ein Geschäft sein. 11./12. September 1999

Manifeste für eine kleine Ewigkeit. Die eigensinnige Architektur des Schweizer Kantons Graubünden. 1./2. April 2000

Wo die Menschheit fliegen lernte. Verlassene innerstädtische Flughäfen, die neue Nutzungen brauchen. 6./7. Mai 2000

Archithese
Blechkisten im Versteck. Wettbewerb Regionaltheater Neuenburg. Heft 1/1996

Kunstform als Konstruktionsform. Steinerne Fassaden und schwerelose Kisten in der Mitte Berlins. Heft 5/1996

Wiener Vertikale. Architektonische Wolkenstürmerei an den Ufern der Donau. Heft 6/1999

Körper und Kleid. Von der Vorhangfassade zum Siedlungsteppich: Textile Architektur als semantisches und baukünstlerisches Phänomen. Heft 2/2000

Hybrid sucht Anschluss. Der Potsdamer Platz in Berlin: ein autarker, aber erfolgreicher Stadtbaustein. Heft 3/2000

Deutsches Architektenblatt
Mobile Immobilien. Was die Architektur mit dem Begriff der Bewegung verbindet. Heft 6/2000

Die Festung von Dhaka. Zum 100. Geburtstag von Louis I. Kahn (1901–1974). Heft 2/2001

Architekt ohne Grenzen. Deutsche Architekten im Ausland. Teil 8: Russland, Kasachstan und Usbekistan. Heft 6/2002

Jenseits von Kommunismus und Kapitalismus. Russische Architektur orientiert sich an historischen Vorbildern. Heft 8/2006

Architekt ohne Grenzen. Deutsche Architekten im Ausland. Teil 33: Russland. Heft 8/2006

Komfort für alle. Barrierefreies Bauen ist kein Randgruppenthema, sondern dient der ganzen Gesellschaft. Heft 9/2009

Projektverzeichnis
Chronology

1995
Fotografenwohnung in Berlin-Charlottenburg
(Umbau)

Mercedes Showroom in Berlin-Mitte
(Umbau, nicht realisiert)

1996
Stadtforum Berlin
(Koordination von ca. 25 Sitzungen bis 2001)

1997
Veranstaltungsreihe *StadtProjekte*
(Koordination von ca. 20 Veranstaltungen bis 1999)

Architektenwohnung in Berlin-Charlottenburg
(Umbau)

Fotostudio in den Hackeschen Höfen in Berlin-Mitte
(Umbau)

Haus des Deutschen Beamtenbundes in Berlin-Mitte
(Wettbewerb, 2. Preis)

1998
Schauspielerwohnung in Berlin-Charlottenburg
(Umbau)

Diplomaten-Villa in Berlin-Pankow
(Umbau)

Reihenhaus in Berlin-Westend
(Anbau)

Ausstellung im *Quartier Schützenstraße* in Berlin-Mitte
(Temporäre Installation)

Commerz- und Privat-Bank (Sparkassenhaus) in Berlin-Mitte
(Bauhistorische Dokumentation)

Haus des Deutschen Beamtenbundes in Berlin-Mitte
(Bauhistorische Dokumentation)

1999
ZDF Merchandising Shop in Berlin-Mitte
(Umbau)

Veranstaltungsreihe *Architekturgespräche*
(Koordination von ca. 20 Veranstaltungen bis 2001)

2000
Juweliergeschäft *Schmuckräume* in Berlin-Charlottenburg
(Bauleitung)

Stadthäuser am Fischerkiez in Berlin-Mitte
(Studie)

2001
Landhaus in Berlin-Friedrichshagen
(Umbau)

Penthouse in Berlin-Prenzlauer Berg
(Umbau)

Ausstellung in der Messehalle in Taschkent/Usbekistan
(Temporäre Installation)

Ausstellung in der *Otto-Nagel-Galerie* in Berlin-Wedding
(Temporäre Installation)

2002
Meisterklasse *Sanierung von Plattenbauten* in St. Petersburg
(Koordination)

Summer School im Rahmen des *UIA 2002 Berlin*
(Koordination)

Informations-, Leit- und Orientierungssystem für die staatlichen Schlösser, Burgen und Altertümer im Land Rheinland-Pfalz
(Wettbewerb, 1. Preis)

2003
Villa am Finnischen Meerbusen bei St. Petersburg/Russland
(Wettbewerb 1. Preis, nicht realisiert)

Penthouse an der Eremitage in St. Petersburg/Russland
(Neubau)

Ausstellung in der *ifa-Galerie* in Berlin und Stuttgart
(Temporäre Installation)

Ausstellung im *Zentralen Haus der Künstler* in Moskau/Russland
(Temporäre Installation)

Ausstellung in der American University in Sharjah/VAE
(Temporäre Installation)

Meisterklasse *Zukunft der Stadt Atyrau/Kasachstan*
(Koordination)

2004
Deutsche Botschaft in Astana/Kasachstan
(Herrichtung einer Büroetage)

Stadthaus am Friedrichswerder
(Neubau)

Touristisches Leitsystem für die Altstadt Naumburg/Saale
(Stadtmöblierung)

Maisonette in Dongguan/China
(Neubau, nicht realisiert)

Mini-Hotel in Berlin-Charlottenburg
(Umbau)

Wohnung *Sybelstraße* in Berlin-Carlottenburg
(Umbau)

Ausstellung im Architekturmuseum in Moskau/Russland
(Temporäre Installation)

Spring School an der American University in Sharjah/VAE
(Koordination)

Meisterklasse *Sanierung von Plattenbauten* in Taschkent/Usbekistan (Koordination)

2005

Schloss Stolzenfels bei Koblenz
(Denkmalgerechter Umbau zur Verbesserung der Barrierefreiheit)

Theater in der Spielbank Berlin
(Umbau)

Britische Botschaft in Astana/Kasachstan
(Herrichtung einer Büroetage)

Hachette Filipacchi Shkulev Media in Moskau/Russland
(Umbau der Lobby und der Vorstandsetage)

Konferenzzentrum in der Französischen Botschaft in Moskau
(Umbau, nicht realisiert)

Meisterklasse *Wohnen am Wasser* in Nischni Nowgorod
(Koordination)

2006

Deutsches Generalkonsulat in Kaliningrad/Russland
(Neubau der Visastelle)

Französische Botschaft in Astana/Kasachstan
(Herrichtung einer Büroetage)

Lufthansa Airport Office in Astana/Kasachstan
(Umbau)

Villa Zhailjau in Almaty/Kasachstan
(Neubau/Innenarchitektur)

Vorderes Klausengebäude in Koblenz
(Denkmalgerechter Umbau)

Produzentenwohnung in Berlin-Charlottenburg
(Umbau)

2007

Stadtvilla in Nürnberg-Erlenstegen
(Erweiterung)

Deutsches Generalkonsulat in Almaty/Kasachstan
(Herrichtung eines Bestandsgebäudes)

Hauptverwaltung Schleich in Schwäbisch Gmünd
(Erweiterung)

Schleich Shop Design
(Umsetzung des Corporate Branding an bislang 75 Standorten)

Lufthansa City Center in Kasachstan
(Umsetzung des Corporate Branding an sieben Standorten)

Lufthansa City Center in Kirgistan
(Umsetzung des Corporate Branding am Standort Bischkek)

ABN AMRO Bank Kazakhstan, Consumer Banking
(Umsetzung des Corporate Branding an vier Standorten)

Vorstandsetage im *Almaty Financial District* in Kasachstan
(Neubau/Innenarchitektur, nicht realisiert)

Außenstelle der Französischen Botschaft in Almaty/Kasachstan
(Denkmalgerechter Umbau)

Wohnung auf den Sperlingshügeln in Moskau/Russland
(Neubau/Innenarchitektur)

Feriensiedlung im Altai-Gebirge/Kasachstan
(Neubau, nicht realisiert)

Penthouse *Jägerstraße* in Berlin-Mitte
(Neubau, nicht realisiert)

Vertretung der Europäischen Kommission in Astana/Kasachstan
(Konzept zur Verbesserung der materiellen Sicherheit)

Ausstellung in der *ifa-Galerie* in Berlin und Stuttgart
(Temporäre Installation)

2008

Deutsche Botschaft Sarajewo/Bosnien-Herzegowina
(Generalsanierung)

Deutsche Botschaft in New Delhi/Indien
(Fassadengestaltung)

Kanadische Botschaft in Astana/Kasachstan
(Project Management)

Schweizerische Botschaft in Astana/Kasachstan
(Herrichtung einer Büroetage)

ABN AMRO Bank Kazakhstan, Preferred Banking Almaty
(Umbau)

Typenentwurf für eine Schule in Tscheboksary/Russland
(Neubau, nicht realisiert)

Typenentwurf für einen Kindergarten in Tscheboksary/Russland
(Neubau, nicht realisiert)

Villa an der Rubljowka in Moskau/Russland
(Umbau)

Maschinenhalle in Iggingen
(Neubau)

Park Residence Monbijou in Berlin-Mitte
(Konzeptstudie)

Landhaus in Neufundland/Kanada
(Neubau, nicht realisiert)

L'Institut Français d'Etudes sur l'Asie Centrale in Taschkent
(Neubau, nicht realisiert)

Ausstellung im *Tuwaiq Palace* in Riad/Saudi-Arabien
(Temporäre Installation)

Ausstellung in der Abflughalle des Flughafens Tempelhof
(Temporäre Installation)

2009

Deutsche Botschaft in New Delhi/Indien
(Generalsanierung)

Deutsche Botschaft Taschkent/Usbekistan
(Machbarkeitsstudie für einen Neubau)

Deutsche Botschaft Peking/China
(Umbau zur Verbesserung der Barrierefreiheit)

Deutsche Botschaft Tokio/Japan
(Umbau zur Verbesserung der materiellen Sicherheit)

Deutsches Generalkonsulat in Jekaterinburg/Russland
(Wettbewerb)

Ägyptische Residenz in Berlin-Mitte
(Gutachten)

Schweizerische Residenz in Astana/Kasachstan
(Quality Management)

Goethe-Institut in Almaty/Kasachstan
(Machbarkeitsstudie)

St. Petri-Kirche in Berlin-Mitte
(Neubau, nicht realisiert)

Evangelisches Johannesstift in Berlin-Spandau
(Neubau, Wettbewerb 2. Preis)

Ida-Simon-Haus in Berlin-Mitte
(Denkmalgerechtes Umbaukonzept)

Hotelresidenz und Spa in Kühlungsborn
(Neubau/Innenarchitektur)

Villa in Berlin-Grunewald
(Neubau/Innenarchitektur)

Ausstellung im Rahmen der *Regionale 2010* in Köln
(Temporäre Installation)

2010

Theaterplatz Naumburg/Saale
(Freiraumgestaltung)

Quartier an den Kronprinzengärten in Berlin
(Neubau, Wettbewerb)

Schweizerische Botschaft in Warschau/Polen
(Bestandsanalyse)

Informations- und Orientierungssystem für die Staatlichen
Schlösser, Burgen und Gärten Sachsen
(Wettbewerb)

Die Zeitangaben beziehen sich auf den Projektbeginn.

Mitarbeiter seit 1995
Staff since 1995

Architekten
Bächter, Michael
Bagrikova, Inna
Bormann, Nicola
Boyko, Elena
Festag, Daniel
Heßler, Doreen
Jahn, Wera
Kurek, Monika
Meuser, Florian
Schillaci, Fabio
Schirmer, Christoph
Spielau, Martin
Tobolla, Jennifer
Tsubokura, Takashi
Weber, Miriam
Zhang, Choco Heng

Projektassistenz
Chernishova, Sofia
Jaikbayeva, Juma
Kim, Galina
Nurgaleyeva, Gulnara
Uralov, Bolatbek

Grafikdesigner
Brohl, Gitte
Dafova, Marina
Donadei, Daniela
Mattausch, Heiko
Stier, Yuko
Wolbergs, Benjamin
Wolf, Nicole

Verlag
Hofmann, Sabine
Kasek, Mandy
Keil, Uta
Petermann, Ralph
Ring, Martin
Scheublein, Walter

Redakteure
Becker, Dörte †
Dörries, Cornelia
Hahn-Melcher, Brigitta
Hartmann, Anja
Hoffmann, Hans Wolfgang
Maempel, Vivian
Oswald, Ansgar
Pogade, Daniela
Schöneberg, Gesa
Voigt, Simone

Volontariat
Deubel, Jette
Kukla, Juliane

Praktikanten
Chestakow, Lev
Egermann, Kristin
Esau, Xenia
Göse, Julia
Götzen, Christiane
Jeska, Simone
Klaus, Robert
Kim, Anja
Krusemark, Anne
Mitra, Mayukh
Mogensen, Sophia
Urscheler, Kathrin
Wegener, Gerrit

Anhang 175

Die Deutsche Bibliothek verzeichnet diesen Titel in der *Deutschen Nationalbibliografie*. Detaillierte bibliografische Daten sind im Internet über *http://dnd.ddb.de* abrufbar.

The Deutsche Bibliothek *lists this publication in the* Deutsche Nationalbibliografie; *detailed bibliographic data is available on the internet* http://dnb.ddb.de.

© 2011 by *DOM publishers*
www.dom-publishers.com

ISBN 978-3-86922-153-3 (Vol. 3)
ISBN 978-3-86922-150-2 (Gesamtausgabe)

A DOM publishers

Dieses Werk ist urheberrechtlich geschützt. Jede Verwertung außerhalb der Grenzen des Urheberrechtsgesetzes ist ohne Zustimmung des Verlags unzulässig und strafbar. Dies gilt insbesondere für Vervielfältigung, Übersetzungen, Mikroverfilmungen sowie die Einspeicherung und Verarbeitung in elektronischen Systemen. Die Nennung der Quellen und Urheber erfolgt nach bestem Wissen und Gewissen.
This work is subject to copyright. All rights are reserved, whether the whole or part of the material is concerned, specifically the rights of translation, reprinting, broadcasting, reproduction on microfilms or in other ways, and storage or processing in data bases. We have identified any third party copyright material to our best knowledge.

Projekttexte *Text Editor*
Cornelia Dörries

Endlektorat *Proofreading*
Uta Keil

Übersetzung *Translation*
Nina Hausmann

Titelgestaltung *Cover Design*
Gitte Brohl

Abbildungen *Photo Credits*
Bildarchiv Preußischer Kulturbesitz/bpk: 18 (RMN/El Meliani); Bundesamt für Bauwesen und Raumordnung: 29-33, 36; Hagen, Andrew: 102/103; Hoch, Eberhard: 163; iStockphoto/greenmountainboy: 14; Meuser, Natascha: 165; Meuser, Philipp: 11-13, 17, 19-21, 24-27, 34, 35, 42-47, 57, 61-63, 72/73, 75, 76, 79, 80, 86, 90, 92/93, 97, 105, 110/111, 114, 121, 123-125, 130 ur, 133, 136, 137, 139-141, 147, 152/153, 157-159; Naggy, Jeff: 22; Naroditski, Alexei: 58-60, 127-129, 131; Prokudin-Gorski, Sergei: 130 ul; Samarkin, Vadim: 54/55; Spielau, Martin: 149; Stemler, Deddeda: 100/101; Tobolla, Jennifer: 145; ullsteinbild: 82 (BPA), 85 (Nebe); Uralow, Bolatbek: 156; Varvaki, Vasiliki: 16